Laurie Halse Anderson

Garotas de Vidro

Tradução

Ana Paula Corradini

Editora Novo Conceito

1ª Impressão — 2012

Edição: Edgar Costa Silva
Preparação de Texto: Tamires Zeoti Cianci
Revisão de Texto: Alline Salles, Lívia Fernandes
Projeto Gráfico: Lucas Busatto, Vanúcia Santos
Capa: Alexandre Denomai, Lucas Busatto

Este livro segue as regras da Nova Ortografia da Língua Portuguesa.

Dados Internacionais de Catalogação na Publicação (CIP)
(Câmara Brasileira do Livro, SP, Brasil)

Anderson, Laurie Halse
Garotas de Vidro / Laurie Halse Anderson ; tradução Ana Paula Corradini. -- Ribeirão Preto, SP : Novo Conceito Editora, 2012.
Título original: Wintergirls.
ISBN 978-85-8163-011-3
1. Ficção - Literatura norte-americana
I. Título.

12-03085 CDD-813

Índices para catálogo sistemático:
1. Ficção : Literatura norte-americana 813

Editora Novo Conceito

Rua Dr. Hugo Fortes, 1885 – Parque Industrial Lagoinha
14095-260 – Ribeirão Preto – SP
www.editoranovoconceito.com.br

Para Scot — Por acender a lareira que me aquece quando a nevasca se enfurece lá fora.

*

"(Perséfone) se encheu de curiosidade e esticou ambas as mãos para segurar aquela coisa bonita de brincar. E a terra, repleta de estradas que levam a toda direção, se abriu sob ela... Ela gritou com uma voz estridente... Mas nenhum dos mortais, ou dos humanos mortais, a escutou..."

Hino Homérico a Deméter

"O Rei deu ordens para deixá-la dormir tranquilamente até que chegasse o momento de acordá-la."

A Bela Adormecida no Bosque,
de Charles Perrault, 1696

*

[001.00]

Então ela me conta tudo, as palavras cuspidas com as migalhas do *muffin* de frutas vermelhas, as vírgulas mergulhadas em seu café.

Ela diz quatro frases. Não, cinco.

Eu não posso me permitir ouvir isso, mas é tarde demais. Os fatos chegam de mansinho para me apunhalar. Quando ela chega à pior parte

... corpo encontrado em um quarto de motel, sozinho…

... as paredes ficam mais altas e minhas portas se trancam todas. Eu faço que sim com a cabeça, como se estivesse ouvindo, como se a gente estivesse se comunicando, e ela nunca vai perceber a diferença.

Não é legal quando uma garota morre.

[002.00]

— A gente não queria que você soubesse na escola, nem pelas notícias. — Jennifer entulha o último pedaço de *muffin* na boca. — Tem certeza de que você está bem?

Abro a máquina de lavar louça e me abaixo para entrar na nuvem de vapor que sai flutuando de lá de dentro. Eu queria mais era me enfiar ali entre uma tigela e um prato. ~~Minha madrasta~~ Jennifer então poderia trancar a porta, virar o botão para a opção "escaldar" e ligar a máquina.

O vapor congela ao tocar meu rosto.

— Está tudo bem — minto.

Ela pega a caixa de *cookies* de aveia com uvas-passas que está sobre a mesa.

— Você deve estar se sentindo péssima. — Ela rasga a tampa de papelão. — Pior que péssima. Você pode pegar um *Tupperware* limpo para mim?

Eu tiro o recipiente de plástico e a tampa de dentro do armário e passo os dois para ela, sobre a ilha da cozinha.

— Cadê o meu pai?

— Ele tinha uma reunião sobre prazos.

— Como você ficou sabendo?

Ela esmigalha os cantinhos dos *cookies* antes de colocá-los no *Tupperware* para dar a impressão de que foram feitos em casa, e não comprados.

— Sua mãe ligou aqui ontem à noite e deu a notícia. Ela quer que você vá ver a Dra. Parker o mais rápido possível, em vez de esperar até a próxima consulta.

— O que você acha? — pergunto.

— É uma boa ideia — ela diz. — Vou ver se ela consegue fazer um encaixe para você hoje à tarde.

— Não precisa. — Puxo a gaveta de cima da máquina de lavar louça. Os copos vibram emitindo gritinhos minúsculos. Bastava eu tocar um deles para todos espatifarem. — Não tem por quê.

Ela dá uma pausa na esfarelação.

— A Cassie era sua melhor amiga.

— Não mais. Vou ver a Dra. Parker na semana que vem, como o combinado.

— Bom, a decisão é sua. Mas me promete que vai ligar para a sua mãe e conversar sobre isso?

— Prometo.

Jennifer olha para o relógio do micro-ondas e grita:

— Emma, quatro minutos!

~~Minha meia-irmã~~ Emma não responde. Ela está na sala, hipnotizada pela televisão e uma tigela cheia de cereal azul.

Jennifer prova um *cookie*.

— Odeio falar mal de quem já morreu, mas fiquei feliz quando você parou de sair com ela.

Empurro a prateleira de cima e puxo a de baixo.

— Por quê?

— A Cassie era perturbada. Era bem capaz de ter levado você para o fundo do poço com ela.

Tento pegar uma faca para carne no meio de um ninho de colheres. O cabo está morno. Quando a tiro de lá, a lâmina corta o ar, dividindo a cozinha em fatias. Ali está Jennifer, colocando *cookies* comprados no mercado em um recipiente de plástico para a aula de sua filha. Ali está a cadeira vazia do meu pai, que finge não ter escolha com essas reuniões logo cedo. Ali está a sombra da minha mãe, que prefere ligar porque uma conversa frente a frente demora demais e geralmente acaba em gritos.

E aqui está uma garota com uma faca na mão. Há gordura sobre o fogão, sangue no ar e palavras cheias de raiva amontoadas pelos cantos. Somos todos treinados para não ver nada disso. Nada mesmo.

... corpo encontrado em um quarto de motel, sozinho...

***

Alguém acabou de arrancar minhas pálpebras.

— Ainda bem que você é mais forte que ela — Jennifer toma o resto do café na caneca e limpa as migalhas dos cantos da boca.

A faca desliza para o porta-facas com um sussurro.

— É. — Pego um prato limpo, esfregado até ficar livre de sangue e cartilagem. Pesa uns cinco quilos.

Ela fecha a caixa de *cookies*.

— Tenho um compromisso mais tarde. Você pode levar a Emma para o futebol? O treino começa às cinco.

— Em qual campo?

— No Richland Park, depois do shopping. Olha aqui. — Ela me passa a caneca pesada, seu batom, uma lua crescente de sangue na borda. Eu a deixo sobre o balcão e então tiro prato por prato, meus braços tremendo.

Emma chega se arrastando para pegar a mochila, os cadarços dos tênis desamarrados. Ela deveria estar dormindo, mas a mulher do meu pai a leva para a escola mais cedo quatro vezes por semana para as aulas de violino e de conversação em francês. O terceiro ano não é cedo demais para se expandir os horizontes, sabe.

Jennifer se levanta. O tecido da saia dela está tão justo sobre as coxas que os bolsos se veem obrigados a abrir. Ela tenta alisar a saia amassada.

— Não deixe a Emma te convencer a comprar salgadinho antes do treino. Se ela estiver com fome, pode comer uma salada de frutas.

— Devo ficar lá esperando e a trago para casa?

Ela faz que não com a cabeça.

— Ela volta de carona com os Grants. — Jennifer tira o casaco do encosto da cadeira, começa a vesti-lo primeiro pelos braços e então o abotoa. — Por que você não come um *muffin*? Eu comprei laranja ontem, ou você também pode comer torrada ou *waffles* congelados.

~~Porque eu não posso me permitir querer um~~ Porque eu não preciso de um *muffin* (410), não quero uma laranja (75), nem torrada (87), nem *waffles* (180), me dão enjoo.

Aponto para a tigela vazia sobre o balcão, ao lado da montanha de frascos de comprimidos e da caixa de Blueberryqualquercoisa.

— Vou comer cereal.

Os olhos dela se atiram para o armário onde colou o papel com minha dieta. Veio com a minha papelada da alta, quando me mudei para essa casa, faz uns seis meses. Eu o tirei de lá três meses depois, no meu aniversário de 18 anos.

— Mas é pouco demais para ser uma porção completa — ela diz com todo o cuidado.

~~Eu poderia comer a caixa inteira~~ Provavelmente nem vou encher a tigela. — Estou com dor de estômago.

Ela abre a boca de novo. Hesita. Um suspiro azedo de hálito matinal cheio de café sopra pela cozinha parada e chega até mim.

"Não fala. Não fala."

— Confiança, Lia.

"Ela falou."

— Esse é o problema. Ainda mais agora. A gente não quer que...

Se eu não estivesse tão cansada, enfiaria a confiança e o problema no triturador de lixo e o deixaria ligado o dia inteiro.

Tiro uma tigela maior da máquina de lavar louça e a coloco sobre o balcão.

— Eu. Estou. Bem. Tá?

Ela pisca duas vezes e termina de abotoar o casaco.

— Tá. Eu entendo. Amarre seu tênis, Emma, e vá para o carro.

Emma boceja.

— Espera aí. — Me abaixo para amarrar os tênis dela. Com nó duplo. Olho para cima. — Não posso continuar fazendo isso, você sabe, né? Você já está grande demais.

Ela sorri e beija minha testa.

— Pode sim, bobinha.

Quando me levanto, Jennifer dá dois passos meio sem jeito na minha direção. Ela é uma mariposa redonda e pálida, salpicada de base para o rosto, armada para o dia com sua pasta de bancária, sua bolsa e uma chave para ligar a distância aquele carro gigante alugado. Ela passa agitada, nervosa.

Eu espero.

A esse ponto a gente deveria se abraçar ou beijar, ou pelo menos fingir.

Ela aperta o cinto.

— Olha, tente ficar ocupada hoje. Tá? Tente não pensar demais nas coisas.

— Tá.

— Fale tchau para a sua irmã, Emma — exige Jennifer.

— Tchau, Lia. — Emma acena e me dá um sorrisinho cheio

de Blueberryqualquercoisa. — O cereal é uma delícia. Você pode comer o resto da caixa, se quiser.

[003.00]

Eu coloco cereal demais (150) na tigela e jogo o leite semidesnatado (125). O café da manhã é a refeição mais importante do dia. O café da manhã vai fazer de mim uma cam-pe-ããã.

... *Quando eu era uma garota de verdade, com um pai, uma mãe e uma casa, e sem lâminas brilhantes, o café da manhã era granola com morangos frescos*, que eu sempre comia lendo um livro apoiado na fruteira. Na casa da Cassie, a gente comia *waffles* com uma calda fina que vinha das árvores de bordo de verdade, e não aquela calda de xarope de milho falsa, *e lia os quadrinhos do jornal...*

Não. Não posso. Não vou mais pensar nisso. Não vou olhar.

Não vou poluir meu corpo com Blueberryqualquercoisa, nem *muffins*, nem cacos de torrada que fazem barulho quando passo manteiga sobre eles. O lixo e os erros de ontem já passaram por mim. Sou brilhante e cor-de-rosa por dentro, limpa. O vazio é bom. O vazio é forte.

Mas tenho que dirigir.

***

... Eu dirigi no ano passado, com as janelas abertas, a música no talo, primeiro sábado de outubro, correndo para ir fazer os exames finais. Fui dirigindo para a Cassie passar a última camada de esmalte nas unhas. Nós éramos irmãs secretas com um plano para dominar o mundo, com potencial borbulhando ao nosso redor como champanhe. A Cassie riu. Eu ri. Era perfeito.

Se eu tomei café da manhã? É claro que não. Será que jantei na noite anterior, ou almocei, ou comi alguma coisa?

O carro à nossa frente brecou quando o sinal ficou amarelo, e então vermelho. Meu chinelo ficou suspenso sobre o pedal. Ficou tudo turvo à minha volta. Um arrepio escuro se enrolou ao redor da minha espinha e vendou meus olhos como um lenço de seda. O carro à nossa frente desapareceu. O volante e o painel sumiram. Não tinha mais Cassie, nem semáforo. Como é que eu ia parar aquela coisa?

A Cassie gritou em câmera lenta:

::Marshmallow/air/explosão/bag::

Quando acordei, o paramédico e um policial estavam com cara feia. O motorista do carro em que bati berrava ao celular.

Eu estava com a pressão sanguínea de uma cobra gelada. Meu coração estava cansado. Meus pulmões queriam tirar uma soneca. Eles colocaram uma agulha em mim, me inflaram como se eu fosse um balão de festa junina, e me mandaram para um hospital com enfermeiras de olhos de aço que anotaram cada número terrível. À caneta. Fui descoberta.

Minha mãe e meu pai chegaram correndo, lado a lado para variar, felizes por eu não estar morta. Uma enfermeira passou a ficha médica para a minha mãe. Ela leu tudo e explicou o desastre para o meu pai, e então eles brigaram; uma discussão que mais parecia uma avalanche que se espalhou por entre os lençóis esterilizados em direção ao corredor. Eu estava estressada/sobrecarregada/maníaca/não — deprimida/não — precisando de atenção/não — precisando de disciplina/precisando de descanso/precisando/a culpa é sua/a culpa é sua/culpa/culpa. Eles deixaram a marca de sua guerra nesse fiapo de garota.

Telefonemas foram feitos. Meus pais me forçaram a ir marchando para ~~o inferno na terra~~ a clínica New Seasons...

A Cassie escapou, como sempre. Nem um arranhão. O seguro cobria mais que o prejuízo, então ela acabou com o carro consertado e uns alto-falantes novos. Nossas mães tiveram uma conversinha, mas, para falar a verdade, toda garota passa por isso e o que é que se pode fazer? Cassie remarcou a prova e foi fazer as unhas em um salão, o Azul Encantado, *enquanto eles me trancaram e pingaram água com açúcar nas minhas veias vazias...*

Lição aprendida. Para dirigir, é preciso ter combustível.

Não o cereal Blueberryqualquercoisa da Emma. Eu tremo e jogo a maior parte daquela coisa nojenta no triturador de lixo, e então coloco a tigela no chão. Os gatos de Emma, Kora e Pluto, passam nas pontas de suas almofadas pela cozinha e enfiam a cabeça na tigela. Eu desenho uma carinha mostrando a língua em um post-it, escrevo "NHAM, EMMA! OBRIGADA!" e o colo na caixa de cereal.

Como dez uvas-passas (16) e cinco amêndoas (35) e uma pera meio verde (121) (=172). Os pedaços se arrastam garganta abaixo. Engulo minhas vitaminas e as sementes malucas que impedem meu cérebro de explodir: uma roxa e comprida, outra branca e gorda, duas vermelhas como papoulas. Mando todo mundo lá pra baixo com água quente.

É melhor que elas funcionem rápido. A voz de uma garota morta está me esperando no meu celular.

[004.00]

A subida pelas escadas demora mais que o normal.

Durmo no fim do corredor, em um espaço minúsculo que ainda está decorado como quarto de hóspedes. Paredes brancas. Cortinas amarelas. O sofá-cama nunca é dobrado de volta, a escrivaninha é de segunda mão. A Jennifer vive se oferecendo para comprar móveis novos, e pintar o quarto ou colocar papel de parede. Digo que ainda não decidi o que quero fazer. Eu provavelmente deveria tirar tudo de dentro das caixas empoeiradas daquela pilha primeiro.

Meu celular está esperando em cima de uma pilha de roupas sujas, exatamente onde aterrissou depois que o joguei contra a parede na manhã de domingo, porque não parava de tocar e estava me deixando maluca, e eu estava cansada demais para desligá-lo.

... A última vez que ela me ligou foi há seis meses, depois que saí do hospital pela segunda vez. Eu estava ligando para ela umas quatro ou cinco vezes por dia, mas ela não atendia, nem me ligava de volta até que, finalmente, ligou.

Ela me pediu para escutar e disse que aquilo não ia demorar.

Eu era a raiz do mal, Cassie disse. Uma influência negativa, uma sombra tóxica. Enquanto eu estava internada, os pais dela tinham-na arrastado para um médico que fez uma lavagem cerebral nela e a fez engolir comprimidos e palavras vazias. Ela precisava tocar a vida em frente, redefinir seus limites, ela disse. Por minha causa, ela matava aula e repetiu de ano em francês, eu era responsável por tudo que era ruim e perigoso.

Errado. Errado. Errado.

Por minha causa, ela não fugiu da escola no primeiro ano do ensino médio. Por minha causa, ela não engoliu um vidro inteiro de remédio para dormir quando o namorado a traiu. Eu a ouvi por horas quando os pais dela berravam e tentavam enfiar a garota em uma carapaça de manequim que não servia para ela. Entendi o que provocava os terremotos dela, pelo menos a maioria. Eu sabia como machucava ser filha de pessoas que não conseguem te enxergar, nem se você estiver na frente deles, pisando nos seus pés.

Mas lembrar de tudo aquilo era complicado demais para a Cassie. Era mais fácil para ela me deixar de lado pela última vez. Ela transformou meu verão em um deserto vazio. Quando as aulas começaram, ela nem me olhou na cara nos corredores da escola, suas novas amigas penduradas no pescoço como colares de Mardi Gras. *Ela me apagou de sua existência.*

Mas alguma coisa aconteceu. Naquele tempo morto entre a noite de sábado e a manhã de domingo, ela me ligou. É claro que não atendi. Ela estava brincando de telefonar bêbada ou passando trote. Eu não ia deixar que tirasse uma com a minha cara, e me deixar ser sua amiga de novo só para virar as costas e acabar comigo mais uma vez.

... corpo encontrado em um quarto de motel, sozinho...

Não atendi. Nem ouvi as mensagens dela ontem. Eu estava com tanta raiva que nem conseguia olhar para o telefone.

Ela ainda está me esperando.

Eu me sento sobre a montanha de calças de pijama e moletons sujos e desenterro o celular. Abro o telefone. Cassie me ligou trinta e três vezes, começando às 11:30 da noite de sábado.

ACESSANDO A CAIXA POSTAL

"Lia? Sou eu. Me liga."

Cassie.

Segunda mensagem: "Cadê você? Me liga."

Cassie.

Terceira: "Não estou brincando, Overbrook. Preciso muito falar com você."

Cassie, dois dias atrás, sábado.

"Me liga."

"Por favor, por favor, me liga."

"Olha, desculpa por ter sido uma vaca. Por favor."

"Eu sei que você está recebendo essas mensagens."

"Você pode ficar brava comigo depois, tá? Preciso mesmo falar com você."

"Você tinha razão, não foi culpa sua."

"Não tenho mais ninguém com quem falar."

"Ai, meu Deus."

Entre 1:20 e 2:55, ela ligou e desligou 15 vezes.

Depois: "Por favoooor, Lia-Lia." A voz dela estava ficando pastosa.

"Eu estou tão triste. Não consigo sair disso."

"Me liga. Eu estou péssima."

Desligou mais duas vezes.

3:20, voz bem pastosa. "Não sei o que fazer."

3:27. "Eu estou com saudade de você. Saudade de você."

Enterro o celular na pilha e visto um moletom bem grosso antes de ir para o meu carro. O inverno chega cedo a New Hampshire.

[005.00]

Saio na hora certa e fico presa no trânsito. Os carros ao meu redor são dirigidos por umas vacas gordas e bois que não param de mugir. Seguimos em frente, 10 km/h. Eu consigo até correr mais rápido que isso. Eles ruminam e mugem em seus celulares até que o rebanho engata a marcha e segue em frente de novo.

Vinte e quatro quilômetros por hora. Não consigo correr tão rápido assim.

Em algum ponto entre a esquina da Martins e a Rota 28, eu começo a chorar. Ligo o rádio, canto o mais alto que consigo, desligo o rádio de novo. Bato no volante com meus pulsos até eles ficarem machucados e, a cada quilômetro, choro mais ainda. A chuva bate no meu rosto.

***

...corpo encontrado em um quarto de motel, sozinho...

Mas o que ela estava fazendo lá? O que estava pensando?

Será que doeu?

Não faz sentido perguntar o porquê, apesar de ser isso que todo mundo vai fazer. Eu sei por quê. A pergunta mais difícil é "por que não?". Não acredito que ela tenha ficado sem respostas antes de mim.

Eu preciso correr, voar, bater minhas asas tão rápido que não consigo ouvir mais nada além das batidas do meu coração. Chuva, chuva, chuva, me afogando.

Será que foi fácil?

Eu não pego nenhum atalho, eu não me esqueço de virar na *delicatessen* na esquina, eu não me perco, nem de propósito. Chego à escola no piloto automático; tarde de acordo com os padrões deles, cedo de acordo com os meus. Os últimos ônibus acabaram de parar à porta da frente.

Saio do carro e tranco a porta.

Aquele vento de novembro que não perdoa me leva em direção ao prédio. Flocos de neve pontudos caem em espiral das nuvens que mais parecem cobertura de bolo lá do céu. A primeira neve. Mágico. Todo mundo para e olha para cima. O escapamento do ônibus congela, aprisionando todo o barulho em uma nuvem poeirenta. As portas da escola congelam também.

Nós deitamos a cabeça para trás e abrimos a boca bem grande.

A neve entra por nossas bocas zumbis rastejando, cheias de gordura e palavrões e flocos de tabaco e cáries e saliva de namorado/namorada, a mancha das mentiras. Por um momento, não somos provas com nota baixa, camisinhas furadas, nem cola na aula de redação; somos gizes de cera e lancheiras, indo tão alto no balanço que nossos tênis fazem buracos nas nuvens. E por um respiro tudo fica melhor.

E então derrete.

Os motoristas de ônibus aceleram os motores e a nuvem de gelo se despedaça. Todo mundo segue cambaleando em frente.

Eles não sabem o que acabou de acontecer. Eles não conseguem se lembrar.

ela me ligou.

Ando de volta para o carro, ligo o aquecedor e seco o rosto com minha camiseta. Sete e meia. A Emma já terminou a aula de francês e está tirando o violino da bolsa. Ela vai passar tempo demais passando breu no arco, mas não o suficiente afinando as cordas. O Concerto de Inverno já é daqui a algumas semanas e ela ainda não sabe tocar as músicas. Eu deveria ajudá-la com isso.

Cassie está no necrotério, eu acho. Na noite passada ela dormiu em uma gaveta prateada, seus olhos se acostumando com a escuridão. Jennifer disse que vão fazer uma autópsia. Quem vai cortar as roupas dela? Será que vão dar um banho nela; estranhos tocando sua pele? Ela consegue vê-los? Ela vai chorar?

O último sinal toca e as últimas pessoas no estacionamento vão correndo para a porta. Só mais alguns minutos. Eu não posso entrar até que os corredores estejam vazios e os professores tenham deixado todo mundo entorpecido de tédio, e assim passar por eles sem que ninguém perceba.

Eu me viro e tiro tudo de cima do banco de trás, jogando todas as provas, blusas de moletom e livros que estou devendo na biblioteca para o lado para que a Emma tenha onde se sentar quando eu for buscá-la. Jennifer insiste que ela deve ir no banco de trás. É mais seguro, ela diz.

Não existe mais seguro. Nem mesmo existe seguro, nunca existiu.

Cassie achava que o céu era um conto de fadas para gente burra. Como você consegue encontrar um lugar no qual não acredita? Para onde ela vai agora? E se ela voltar, seus olhos estarão pegando fogo de tanta raiva?

Sete e trinta e cinco. Hora de ir para a escola e parar de pensar.

[006.00]

Nada de opção de matéria para me formar "com Honras", não este ano. É Lit. Mundial Contemp., Sociologia 12 — O Holocausto, Física, Trigonometria (de novo), e Almoço. Não tenho aula de Educação Física, graças a um atestado mágico da Dra. Parker. Há asteriscos ao lado do meu nome e notas de rodapé explicam minha situação.

... *Quando eu era uma garota de verdade*, minha mãe me alimentava com sonhos dourados uma colher por vez. Harvard. Yale. Princeton. Duke. Formatura do ensino médio. Faculdade de Medicina. Estágio, residência, meu Deus. Ela escovava meu cabelo e o trançava com palavras, tecendo as raízes latinas e ramos gregos na minha cabeça para que ficasse mais fácil memorizar anatomia. ~~Minha mãe~~ Dra. Marrigan ficou possessa quando a orientadora me tirou do grupo de formandos com honras e me jogou na lista dos alunos de faculdadezinhas. Ela sugeriu que eu resolvesse estudar na faculdade do meu pai porque eles teriam que me aceitar. Mensalidade grátis para filhos de funcionários, ela nos lembrou.

Fiquei aliviada.

Naquela noite, a Dra. Marrigan me disse que eu era inteligente demais para ser uma filha folgada de funcionário. Ela queria que eu fizesse outro teste, para provar que era brilhante e que a escola não estava correspondendo às minhas necessidades. Então eu pisei na bola de novo e eles me jogaram de volta no hospital e, quando saí, mudei todas as regras.

Eu ficava fantasiando sobre o exame "Mensa" de QI, para provar que não era uma idiota completa. Talvez meu resultado fosse "gênio-surpresa". Eu tiraria um milhão de cópias do resultado do teste e os colaria pelas paredes da casa da minha mãe, para depois pegar uma lata de tinta vermelha e um pincel grosso e escrever "AHÁ!" um milhão de vezes.

Mas havia uma boa chance de ser reprovada no teste também. *Eu realmente não queria saber.*

O sinal toca de novo. Os alunos flutuam de uma sala para a outra. Os professores nos amarram às nossas cadeiras e despejam mundos em nossos ouvidos.

Eles fecham as janelas e desligam as luzes no laboratório de Física, para que a gente possa assistir a um filme sobre a velocidade do som e mais outro lixo que não faz diferença nenhuma. Os fantasmas estão à espera nas sombras da sala, luzes trêmulas fracas e pacientes. Os outros conseguem vê-los também, eu sei. Todo mundo tem medo de falar sobre aquilo que nos observa fixamente da escuridão.

Ondas de partículas físicas correm pela sala.

ela me ligou trinta e três vezes.

Uma fantasma se enrosca ao meu redor, faz carinho no meu cabelo, e me coloca para dormir.

O sinal toca. Meus colegas pegam seus livros e saem correndo em direção à porta. Eu babei sobre a mesa. Meu professor de Física (como ele se chama mesmo?) faz cara feia para mim. Quando ele respira pela boca aberta, posso sentir o cheiro da camada viscosa que se formou sobre sua língua na noite passada e os ovos fritos que ele comeu no café da manhã.

— Você está pensando em ficar aqui o dia todo? — ele pergunta.

Eu balanço a cabeça, dizendo que não. Antes que ele tente ser engraçadinho de novo, pego meus livros e me levanto. *Rápido demais.* O chão tenta me puxar (meu rosto primeiro), mas meu professor com bafo noturno está de olho, enquanto recupero minhas forças para sair dali, flutuando, estrelas nadando nos meus olhos.

1. 2. 3. 4. 5. 6. 7. 8. 9. 10. 11. 12. 13. 14. 15. 16. 17. 18. 19.
20. 21. 22. 23. 24. 25. 26. 27. 28. 29. 30. 31. 32. 33.

***

— Garota morta passando — os garotos dizem nos corredores.

— Conta para a gente o seu segredo — as garotas sussurram, de um banheiro para o outro.

Eu sou *essa* garota.

Eu sou o espaço entre minhas coxas, com a luz do dia brilhando por ali.

Eu sou a ajudante da biblioteca que se esconde na sessão de Fantasia.

Eu sou o circo de aberrações envolto em cera de abelha.

Eu sou os ossos que elas querem, em uma moldura de porcelana.

Quando eu me aproximo, elas dão um passo para trás. As câmeras em suas cavidades oculares gravam a espinha no meu queixo, a chuva nos meus olhos, a água azul sob minha pele. Elas registram cada som com seus microfones de lapela. Elas querem me sugar para dentro delas, mas têm medo.

Eu sou contagiosa.

Vou na ponta dos pés para a enfermaria, a mão na parede para me manter na vertical. Se eu correr ou respirar fundo demais, as costuras vagabundas que me seguram vão se arrebentar e toda a viscosidade lá de dentro vai queimar, abrindo um buraco no concreto. A enfermeira agita suas penas quando entro de fininho, as mãos nos quadris, os olhos tristes e amigáveis.

— Eu pensei que você fosse ficar em casa hoje — ela diz. — Deve ser um choque. Cassie era uma das suas melhores amigas, não era?

— Não estou me sentindo bem — eu digo. — Posso deitar um pouco?

— Você conhece as regras.

Ela é uma bruxa astuta em pele de enfermeira.

— Tá. — Eu me sento na cadeira ao lado de sua mesa e deixo que ela tire minha temperatura e pressão.

Ela prende a faixa ao redor do osso do meu braço.

— Você ainda está sendo pesada regularmente?

— Uma vez por semana. Eu estou bem. Não preciso subir na sua balança.

— Você não parece bem. — Ela anota rapidamente meus números. — Se você vai ficar aqui, vai ter que colocar alguma coisa no seu sistema. Senão, volte para a aula.

Eu quero morrer de dentro para fora ou de fora para dentro?

Ela abre uma caixa de suco de laranja, serve o suco em um copo de papel e o passa para mim enquanto retira o termômetro.

— Estou falando sério.

Pego o copo da mão dela. ~~Minha garganta quer suco meu cérebro quer suco meu sangue quer suco~~ Minha mão não quer minha boca não quer.

A enfermeira quer isso e preciso me esconder. Eu forço o suco garganta abaixo.

A porta se abre e dois caras entram na sala; um sangrando pelo nariz, o outro um pouco assustado ao ver o sangue. A enfermeira faz o que está sangrando se sentar com a cabeça para trás e seu amigo se senta com a cabeça entre os joelhos para não desmaiar.

Jogo o copo no lixo, pego o jornal da mesa dela e me retiro para a maca no canto mais afastado da sala.

— Você vai tomar outro daqui a 15 minutos — a enfermeira diz. — Ou você pode pegar um pirulito: de uva ou de limão.

— Tá.

Eu puxo a cortininha ao redor da maca, me sento e dou uma olhada no jornal. Notícias locais, página 2. O artigo só tem alguns centímetros de altura, ao lado de uma propaganda de casacos de pele, trinta por cento de desconto.

> A polícia está investigando a morte de Cassandra Parrish, de 19 anos de idade, na cidade de Amoskeag, New Hampshire, cujo corpo foi descoberto no início da manhã de domingo no Motel Gateway, na River Road, em Centerville. As autoridades foram chamadas ao local às 4h43 da manhã pelo funcionário do motel que encontrou o corpo. Indicações preliminares sugerem que a Srta. Parrish deve ter morrido de causas naturais, mas a polícia ainda não descarta a possibilidade de crime ou uso de drogas.

"Ainda estamos reunindo informações", declarou a porta-voz da polícia Sargento Anna Warren. "Vamos divulgar um relatório sobre a hora e causa da morte quando o médico legista terminar a autópsia."

A Srta. Parrish, conhecida por seus amigos como Cassie, era uma atleta popular e também membro do clube de teatro na Escola de Ensino Médio de Amoskeag. Seu pai, Jerry Parrish, é o diretor da Escola de Ensino Fundamental Park Street e sua mãe, Cindy, participa de atividades na escola e na comunidade. O Superintendente das Escolas de Amoskeag, Nelson Bushnell, classificou a perda da família Parrish como "inconsolável".

"Cassie era tudo o que esperamos que nossos filhos sejam: brilhantes, trabalhadores e gentis", declarou Bushnell. Ao ser indagado acerca de relatórios sobre o passado supostamente atribulado da Srta. Parrish, ele respondeu que "a maioria dos adolescentes está sempre lutando para lidar com alguma coisa. Cassie tinha percorrido um longo caminho para conquistar uma vida mais saudável. Na última vez em que falei com seu pai, ele disse que ela estava tentando escolher entre estudar psicologia ou literatura francesa na faculdade. Sua morte é tão trágica quanto chocante".

Os resultados da autópsia devem sair até o fim da semana. Ainda não havia planos para o enterro ao fechamento desta edição.

Eu me deito na maca, a fronha de papel no travesseiro estalando nos meus ouvidos como estática no rádio.

O sinal toca de novo. O corredor se enche com um rio de corpos e vozes cochichando que a Cassie foi assassinada/não, que se enforcou/não, que fumou ou cheirou seu caminho até a Saída Final. Tinha uma época em que ela experimentava de tudo, você se lembra daquela vez na arquibancada/no shopping/no acampamento de verão? Ela acelerou o carro em direção a um trem em disparada/pulou sem paraquedas/colocou um cinto de pesos e foi mergulhar no oceano.

Ela se ofereceu para o lobo mau e não gritou quando ele deu a primeira mordida.

... corpo encontrado em um quarto de motel, sozinho...

Os garotos vão embora. A enfermeira tira o jornal da minha mão e estende um cobertor fino sobre mim.

— Posso pegar mais um? — pergunto. — Estou com frio.

— Claro. — Ela vai até o armário, os sapatos guinchando sobre o chão encerado.

— Você ouviu alguma coisa sobre o enterro? — pergunto.

— O escritório do superintendente mandou um e-mail — ela responde. — O velório vai ser na quarta-feira à noite em St. Stephen. O enterro é no sábado. — Ela vem andando na minha direção, os braços carregados. — Durma um pouco e não se esqueça: você tem que tomar mais suco de laranja quando acordar.

— Eu prometo.

Ela me cobre com todos os cobertores que tem (cinco) e os casacos da caixa de achados e perdidos, porque estou congelando. Eu me deixo envolver pelas axilas de estranhos, provando seu sal maníaco, e durmo para me esquecer de tudo.

[007.00]

Emma está com o cinto de segurança afivelado no banco de trás assistindo a um filme no tocador de DVD em seu colo, comendo batatinha e tomando uma raspadinha de Mountain Dew.

— Não conta para a Jennifer — eu digo.

— Aham.

— Sério. Ela vai berrar comigo.

— Já entendi. Não conto ou ela vai berrar. — Os olhos da Emma estão grudados na tela, e as batatinhas se encaminham uma por uma para a boca dela sobre uma esteira cor-de-rosa.

Estamos perdidas. De novo. Meu pai não quer que eu tenha um GPS porque ele diz que eu tenho que aprender a me virar sozinha. Como posso saber para onde estou indo se estou perdida o tempo todo? Vou pedir um para a Jennifer. O Natal está chegando. Passamos por um celeiro abandonado com o telhado destruído, e um colchão manchado caído perto da placa de limite de velocidade. Você não notaria se um colchão caísse do seu carro? Talvez estivesse na parte de trás de um caminhão de todas as coisas que uma garota tinha, e que ela estava levando para a casa de um cara que conheceu na internet. Ele prometeu a ela três refeições por dia e uma casa, mas disse que estava precisando de móveis. Ele não parou quando o colchão caiu. Uma nova esposa merece uma cama limpa, ele sempre dizia isso.

Talvez uma motoqueira coberta de couro, machona e forte esteja vindo pela estrada mais ou menos um quilômetro atrás de mim. Agora, a qualquer minuto algum idiota vai fechar a garota e ela vai desviar, e a moto vai dar uma pirueta e mandá-la pelos ares gritando porque esqueceu suas asas e a gravidade nunca esquece e ela vai cair

naquele colchão nojento. E é isso, ela vai acabar com três costelas quebradas, um fêmur fraturado e um pescoço luxado, mas os motoristas da ambulância nunca vão mencionar isso. Eles sempre vão contar como o colchão manchado na beira da estrada salvou a vida daquela garota.

O cheiro das batatinhas da Emma está fazendo isso com meu cérebro.

***

Quando finalmente encontro os campos de Richland Park, o treino já começou. Emma quer ficar no carro até o final do filme.

— Você tem que ir lá — eu digo.

Ela resmunga e fecha o tocador de DVD.

— Eu odeio futebol.

— Então fale para eles que não quer mais jogar.

— A mamãe disse que a temporada já está acabando e que não posso sair.

— Então vai lá jogar. Divirta-se.

Ela olha nos meus olhos pelo espelho retrovisor.

— Ninguém passa a bola para mim.

Emma é um colchão que foi jogado do caminhão quando seus pais se separaram. Eu nem me lembro da última vez em que o pai dela ligou. Jennifer está determinada a esculpi-la como a menininha-perfeita que se transformará na mocinha-perfeita cujas conquistas brilhantes provarão para o mundo que a Jennifer é a mãe absolutamente perfeita.

Não dá para colocar a culpa no colchão quando as pessoas não o amarram direito no caminhão.

Abro a minha porta.

— Venha. Eu passo a bola para você.

Ela fecha o tocador de DVD e o joga sobre o banco.

— Não, você falou que tem lição de casa. — De repente ela sai do carro super-rápido. — Tchau, Lia. Dirija com cuidado.

Eu demoro alguns batimentos cardíacos para descobrir o que acabou de acontecer ali. *Um. Dois. Três.* Os cheiros estão aprontando com meus neurônios de novo.

Eu abaixo a janela.

— Emma. Espera aí.

Ela volta devagar para o carro, abraçando a bola de futebol com força.

— O que foi?

— Eu mudei de ideia. Quero ver você treinando. Onde é que eu sento?

Ela arregala os olhos.

— Não, você não pode.

— Por que não? Tem mais gente assistindo.

— Hum... é que... — ela olha para as suas chuteiras e resmunga. — Você pode assistir do carro. É mais quentinho.

Ouço gritos vindos do campo, crianças de 9 anos de idade se preparando para matar. Futebol Avançado pode ser um jogo bem intenso.

— Emma, olhe para mim. — Como é que a voz da Jennifer se enfiou na minha garganta? — Por que você não quer que eu saia do carro?

Ela chuta o cascalho no chão. Pedrinhas minúsculas pulam e ameaçam a pintura da porta.

— O técnico me perguntou se era verdade que você tinha câncer. — Ela chuta de novo. — Porque ele ouviu dizer que você estava no hospital e... você sabe. Eu disse que sim. — Ouço apitos vindos do campo. — Desculpe, eu não sabia mais o que dizer.

— Tudo bem — eu digo. — Eu entendo. Não se preocupe.

A bola escorrega de suas mãos e rola em direção ao campo.

— Você não está brava comigo?

— Eu nunca consigo ficar brava com você, sua boba.

Ela finalmente olha para cima.

— Obrigada, Lia.

— E você tem razão, eu tenho um monte de lição de casa. — Ligo o motor do carro. — Meus professores vão adorar você por me fazer encarar a lição. Vejo você mais tarde?

Ela sorri.

— Tá. E sobrou batatinha, se você estiver com fome.

Eu fecho a janela.

Eu queria ter câncer.

Vou queimar no inferno por isso, com certeza.

[008.00]

O ar do posto de gasolina está cheio de diesel e do cheiro de uma fritadeira rançosa do McDonald's ao lado. Cinco dias atrás eu estava pesando 45,94 quilos. Precisei comer no jantar de Ação de Graças (todos os abutres ao redor da mesa), mas desde então tem sido só água e barrinhas de flocos de arroz. ~~Estou com tanta fome que poderia arrancar minha mão direita com os dentes.~~ Coloco três chicletes na boca, jogo fora as batatinhas da Emma e encho o tanque. Eu sou nojenta.

... *Na primeira vez em que fui para o hospital,* eu estava preta e azul e roxa e vermelha porque desmaiei e bati no carro da frente enquanto a Cassie berrava e o volante explodia. Este corpo pesava 42,18 quilos. Minha companheira de quarto na New Seasons era uma abobrinha comprida e murcha e deixava o ranho escorrer pelo rosto. Todos os funcionários eram do tamanho de baleias e estavam sempre suados. A enfermeira que tomava conta dos nossos remédios era tão gorda que sua pele estava superesticada. Se ela se mexesse rápido demais, poderia arrebentar e seu recheio amarelo se espalharia por todo canto, acabando com sua camiseta do Disney World.

Eu passava pelos dias rapidamente, grãos de milho se arrebentavam na minha boca e ficavam presos entre meus dentes. Morder. Mastigar. Engolir. De novo. Morder. Mastigar. Engolir. De novo.

Fui uma boa garota porque não fazia buracos na minha pele (cicatrizes anotadas), nem escrevia poesia deprimente (diários checados enquanto estávamos na terapia) e eu comi e comi. Eles me empanturraram como um porquinho cor-de-rosa pronto para ir para o mercado. Eles me mataram com purê de maçã e minhocas de macarrão e bolinhos que marchavam do forno e se deitavam para receberem a cobertura. Eu mordia, mastigava e engolia dia após dia e mentia, mentia, mentia. (Quem quer se recuperar? Levei anos para ficar magra daquele jeito. Eu não estava doente; eu era forte.) Mas ficar forte me manteria presa. A única maneira de sair dali era me entupir de comida até andar como um pato.

Eu escarrei toda a porcaria do fundo da minha garganta sobre sentimentos e problemas e minhas coxas. Os médicos fizeram que sim com a cabeça e me deram adesivos como prêmio por minha honestidade. Quatro semanas depois, os portões se abriram. ~~Minha mãe~~ Dra. Marrigan me levou para ~~casa~~ a casa dela e fingimos que nada daquilo nunca tinha acontecido, a não ser as refeições planejadas e o furacão da decepção da minha mãe. Cassie entendeu. Ela escutou tudo o que tinha acontecido e *me disse que eu era corajosa...*

Paro o carro na garagem, o cérebro pingando com os vapores de gasolina. Nem me lembro de ter dirigido até em casa. Um dia desses vou chegar em casa e ver no jornal na TV uma reportagem sobre um caso de atropelamento e fuga que acabou de acontecer na cidade. A câmera vai mostrar sangue e vidro quebrado na calçada. Um repórter vai entrevistar uma mulher aos prantos que viu o acidente em frente à loja de departamentos na Rua Bartlett. Vou sentir um gosto estranho na boca porque estarei segurando uma sacola daquela loja na mão. Vou correr para a garagem e encontrar o cadáver de uma mulher preso no meu para-brisa, sangue por todos os lados.

Esse tipo de coisa pode acontecer.

Saio e verifico o carro inteiro — inspeciono as portas, capô, para-choques, faróis, a grade dianteira, o porta-malas para garantir que não sofri um acidente sem perceber. Nenhum farol quebrado, nem portas amassadas. Nenhuma mulher morta no para-brisa. Hoje não.

[009.00]

Vou direto para a geladeira e tiro de lá o resto da farofa do jantar de Ação de Graças.

... *Quando eu era uma garota de verdade,* o Dia de Ação de Graças era sempre na casa da Vovó Marrigan no Maine, ou na da Vó Overbrook em Boston. Na Vovó a gente comia farofa de ostras. Na da Vó era feita com castanhas portuguesas e linguiça. A Vovó gostava da torta de abóbora em uma massa de canela com noz-pecã. As tortas da Vó tinham que ser de castanhas trituradas porque era o jeito que a avó dela fazia. As mesas ficavam cheias de gente alta se esticando para pegar as tigelas de comida e falando alto demais; primos e tios-avôs e amigos que vinham de longe. O cheiro de molho e de cebolas fazia meus pais se esquecerem de brigar, o sabor das *cranberries* os fazia lembrar como rir de novo. Minhas avós iam viver para sempre, e o dia de Ação de Graças seria sempre cheio de toalhas de mesa de renda, porcelana fina e talheres pesados que eu subia num banquinho para polir.

Elas morreram.

Na semana passada, o dia de Ação de Graças foi adoçado artificialmente, enriquecido com conservantes tensos e enrolado em plástico. As irmãs do meu pai não vêm mais porque é muito longe. A família da Jennifer vai para a casa do irmão dela porque ele tem mais quartos. (~~Minha mãe~~ Dra. Marrigan provavelmente jantou à mesa de trabalho, e pegou uma colherada simbólica de purê de batatas e molho na lanchonete do hospital.)

Fomos só nós quatro mais dois alunos do meu pai. A garota era *vegan*; ela repetiu a batata-doce duas vezes e comeu o pão de abóbora que trouxe quase inteiro. O cara era de Los Angeles. Ele disse que estava de jejum porque o dia de Ação de Graças honra o genocídio dos povos nativos da América. Depois que eles foram embora, Emma perguntou para o meu pai por que o cara de jejum tinha ido, afinal de contas. Meu pai disse que ele estava puxando o saco dele para conseguir uma carta de recomendação. Jennifer disse "tomara que ele engasgue com a carta".

Coloco um pouco da farofa da Jennifer em um prato, jogo umas colheradas no chão para os gatos, e então aperto o tubo de ketchup por cima e o coloco para esquentar no micro-ondas por tempo suficiente para que o ketchup espirre para todo lado. Deixo a porta do micro-ondas aberta para o cheiro poluir a cozinha.

Confiro o relógio. Dez minutos.

Passo um pouquinho de ketchup nos cantos da minha boca, jogo aquela meleca toda no triturador de lixo, ligo a água quente e aperto o interruptor. Enquanto o triturador está trabalhando, tento distrair a minha mente — "recito a Constituição, listo os presidentes em ordem, lembro-me dos nomes dos setes anões" — mas não consigo parar de pensar que

ela me ligou.

Fecho o micro-ondas. Levo o prato sujo e o garfo para a sala de estar, onde os coloco na ponta da mesa. Sete minutos.

Preciso mesmo comer.

Ela me ligou trinta e três vezes.

Uma barra grande de flocos de arroz = 35. Coloque uma colher de chá de mostarda por cima e adicione 5. Duas colheres de chá = 10. Barra de flocos de arroz com molho picante é melhor. Você come e é punida na mesma mordida. Jennifer não compra mais molho picante. Duas barras de flocos de arroz, quatro colheres de chá de mostarda = 90.

Bem que eu queria saber vomitar. Eu tento, tento, tento, mas não consigo. O cheiro me assusta e minha garganta se fecha e eu simplesmente não consigo.

***

1. 2. 3. 4. 5. 6. 7. 8. 9. 10. 11. 12. 13. 14. 15. 16. 17. 18. 19.
20. 21. 22. 23. 24. 25. 26. 27. 28. 29. 30. 31. 32. 33.

Jennifer chega em casa e pede para eu colocar meu prato na máquina de lavar louça e limpar a sujeira que fiz no micro-ondas. Eu peço desculpas e faço o que pede enquanto ela luta para abrir uma garrafa escorregadia de Chardonnay gelado. Quando estou subindo as escadas, Emma entra com tudo pela porta da frente, o uniforme do time sujo, as bochechas vermelhas.

— Eu quase marquei um gol! — ela grita.

— Que demais! — eu digo.

— Você quer jogar bola comigo agora?

Há cordas demais me puxando para o chão.

— Não posso, Emminha. Estou morta. Além disso, já está escuro. Amanhã, tá?

O sorriso dela desmorona. Eu me arrasto para subir os últimos degraus da escada.

"Feche a porta. Feche a porta."

Minha cestinha de tricô é uma das únicas coisas que me importei em desempacotar quando me mudei para cá. Eu me sento na ponta da cama e mexo nela, passando pelo projeto sem fim do cachecol/cobertor, agulhas sem par e bolas de lã laranja, marrom e vermelha, até chegar ao frasco mágico de comprimidos com cor de blush Somente para Emergências. Foi a Cassie que conseguiu para mim, mas nunca disse onde. Eu tomo um, um só. Estrelas de plástico esperam no teto frio, de olho no interruptor, nervosas, prontas para a escuridão e sua deixa para brilhar. Esta garota aqui tem lição de casa de Física. Esta garota aqui tem um trabalho sobre genocídio para escrever e os problemas de Trigonometria da semana passada, e uma prova substitutiva sobre recursos literários em alguma história idiota.

Esta garota aqui treme e engatinha para debaixo das cobertas ainda totalmente vestida, e cai sobre um livro que está devendo para a biblioteca, um conto de fadas com ratos e tutano e maldições terríveis. As frases constroem uma cerca ao seu redor, uma barricada de Times Roman corpo 10, para evitar que as vozes espinhosas em sua cabeça cheguem perto demais.

Quando meu pai chega em casa, o micro-ondas aquece seu jantar. Mais vinho é servido. Jennifer diz a Emma que já passou de seu horário de ir dormir. Eu viro página após página, mas já parei de enxergar as letras, e de entender as palavras.

Os passos dele na escada.

Arrumo meu rosto no meio do livro, meu cabelo como alga marinha flutuando na corrente da história que me leva e me faz dormir. Arranjo uma mão bem relaxada caindo da cama.

Não, melhor não. Puxo a mão de volta.

Os passos dele no corredor. A porta se abre.

— Lia?

"Lia não está disponível. Por favor, deixe uma mensagem ao ouvir o bipe."

ela me ligou trinta e três vezes.

***

— Lia? Você está acordada?

Jennifer usa a voz de Mamãe-Rabugenta para dizer à Emma para "pela última vez, subir as escadas". A resposta de Emma sai baixinha demais apara ser ouvida.

Meu pai se senta na ponta da minha cama. Ele tira o cabelo do meu rosto, se inclina para frente e beija minha testa. O cheiro dele é de comida que sobrou de ontem e vinho.

— Lia?

"Vai embora." Lia precisa dormir por cem anos em um caixão de vidro trancado. As pessoas que sabem onde a chave está escondida vão morrer e ela finalmente vai poder descansar.

Ele levanta a minha cabeça e tira o livro de debaixo dela. Eu abro um olho só um pouco e assisto a tudo através dos cílios espetados. Ele marca minha página dobrando o canto da folha, e então lê a quarta capa. Acima do colarinho dele, a pele pula, o sangue acelera para alimentar seu cérebro gigante.

Meu pai é um professor de História, o Grande e Poderoso Especialista em Revolução Americana. Ele já ganhou um Pulitzer, o Prêmio Nacional do Livro, e um emprego como consultor de um jornal na TV a cabo. A Casa Branca o convida para jantares tão frequentemente que ele já tem um smoking. Já jogou *squash* com dois vice-presidentes e um secretário de defesa. Ele sabe como nos tornamos quem somos hoje e para onde deveríamos ir. Meus professores dizem que eu deveria me sentir sortuda por ter um pai assim. Talvez se eu não odiasse História.

— Lia? Eu sei que você está acordada. Nós precisamos conversar.

Eu paro de respirar.

— Eu sinto muito pela Cassie, querida.

O vidro ao meu redor se racha. Cassie me ligou antes de morrer. Ela ligou e ligou e ligou e me esperou atender.

1. 2. 3. 4. 5. 6. 7. 8. 9. 10. 11. 12. 13. 14. 15. 16. 17. 18. 19.
20. 21. 22. 23. 24. 25. 26. 27. 28. 29. 30. 31. 32. 33.

Meu pai alisa meu cabelo de novo.

— Graças a Deus você está a salvo.

Rachaduras se espalham pela superfície do caixão de vidro como se um corpo tivesse caído do céu e aterrissado sobre ele. Meu pai não ouve o impacto, não consegue sentir o cheiro de sangue.

Ele respira fundo e conforta meu ombro escondido sob o edredom.

— Vamos conversar depois — ele mente.

Nós nunca conversamos. Nós só fingimos pensar sobre conversar, e mencionamos de vez em quando que um dia desses deveríamos realmente nos sentar para conversar. Nunca vai acontecer.

A cama range quando ele se levanta. Ele apaga a luz do criado-mudo e cruza o quarto sob o brilho sombrio da galáxia de plástico grudada no teto. O entalhe da fechadura encontra seu lugar e a moldura da porta me liberta. Rolo e viro para a parede. Cacos de vidro voam para o meu coração porque Cassie está morta e gelada. Ela morreu no Motel Gateway e a culpa é minha. Não são as revistas, nem os sites na internet, nem as garotas de língua afiada no vestiário, nem os rapazes que adoram chupar pescoços no terraço. Nem seus técnicos, diretores ou conselheiros, ou os inventores dos tamanhos P e PP. Nem sua mãe ou seu pai.

eu não atendi.

[010.00]

... Quando eu era uma garota de verdade, o nome da minha melhor amiga era Cassandra Jane Parrish. Ela se mudou no inverno do terceiro ano. Eu me sentei, com o queixo sobre a soleira da janela e fiquei de olho no outro lado da rua enquanto eles descarregavam a van de mudança. Um cara tirou de lá uma bicicleta de criança e uma casa de bonecas cor-de-rosa. Cruzei os dedos. Nosso bairro ainda era vazio, em sua maior parte esqueletos de casas não terminadas e poços congelantes de lama. Eu não via a hora de brincar com alguém da minha idade.

Minha babá me levou com uma garrafa térmica de café para o outro lado da rua para conhecer os novos vizinhos. A casa era exatamente como a nossa, mas de trás para frente, com o mesmo cheiro de tinta nova e carpetes limpos. A mãe, Sra. Parrish, parecia velha o bastante para ser avó. Ela tinha olhos azuis que ficavam bem abertos o tempo todo, como se ficasse surpresa com tudo aquilo que via. A babá me apresentou e explicou sobre os meus pais e seus empregos milionários. A Sra. Parrish gritou para chamar a filha, que estava no andar de cima. Cassandra Jane berrou de volta, dizendo que jamais sairia de seu quarto.

— Pode subir, querida — a Sra. Parrish disse para mim. — Eu sei que ela quer uma amiga.

Cassie estava desempacotando uma caixa de livros. Quando ela se levantou, vi que era um pouco mais alta que eu, com cabelo loiro e comprido que descia em cachos por suas costas. No começo ela não falou, nem me olhou nos olhos, mas me deixou segurar seu ratinho de estimação, Pinky. O coraçãozinho dele vibrava contra as pontas dos meus dedos.

O quarto dela era do mesmo tamanho e formato que o meu, mas cheio de coisas diferentes: uma cama com dossel e cortinas de renda, uma casa de bonecas rabiscada com giz de cera preto, um espelho alto e estreito que ficava sozinho num canto, e uma estante que não parecia ser grande o bastante para receber todas aquelas caixas de livros. Ela me mostrou suas bonecas antigas e a coleção de cavalinhos de plástico e, o melhor de tudo, um baú de tesouro de verdade, que tinha rubis e ouro e um pedaço de vidro do mar nascido no coração de um vulcão.

Eu falei que o vidro do mar dela tinha vindo do mar.

— Esse é diferente — ela disse. — É como uma bola de cristal. Se você olhar através dele quando as estrelas estão alinhadas do jeito certo, pode ver seu futuro.

— Ah! — eu disse, estendo a mão para pegá-lo.

— Mas não hoje. — Ela guardou o vidro do mar e trancou o baú de tesouro. Eu vi onde escondeu a chave.

Nós nos sentamos com uma caixa entre a gente e começamos a desempacotar. Enquanto eu passava livro por livro para ela, comparamos séries e autores favoritos, e então os filmes, programas de TV e músicas que fingíamos ouvir, apesar de serem velhos demais para a nossa idade. Quando a Sra. Parrish e minha babá entraram no quarto, Cassie colocou o braço ao redor do meu ombro.

— É o destino — ela disse para a mãe. — Nós tínhamos que ser amigas.

A Sra. Parrish sorriu.

— Eu disse a você que tudo daria certo aqui.

O pai de Cassie era nosso novo diretor, vindo contratado do norte do estado depois que o último teve um derrame. A mãe dela se tornou a líder do nosso grupo de escoteiras, e a voluntária que tomava conta de nós nas excursões e costurava fantasias para as peças de teatro da escola. Ela convidava minha mãe para jogar cartas, fazer *scrapbooks* e reuniões do clube do livro, mas minha mãe estava ocupada demais transplantando corações. O Sr. Parrish não jogava *squash*; meu pai não jogava golfe, e ficou nisso mesmo.

A Cassie era meio mal-humorada, mas me acostumei a isso. Eu dormia na casa dela quase todo fim de semana, mas ela nunca dormia na minha. Ela não falava sobre ser sonâmbula, nem sobre os chiliques que explodiam quando sua mãe enchia o saco ou seu pai a mandava fazer as tarefas da casa de novo.

Uma vez, ouvi minha mãe falando com minha babá sobre alguma coisa ruim que tinha acontecido no bairro onde eles moravam antes, alguma coisa com um garoto. Perguntei para Cassie o que era. Ela disse que eu estava tentando ferir seus sentimentos, e que me odiava, e que não éramos mais amigas. Sentei nos degraus em frente de casa, lendo *Uma Dobra no Tempo* e roendo a ponta do meu rabo de cavalo, até que ela voltou uma hora depois, como se nada tivesse acontecido, e me convidou para andar de bicicleta.

Toda tarde, no verão, a gente se enfiava na minha casa da árvore para ler um monte de livros cheios de grandes missões e aventuras perigosas. Fiz espadas com galhos de árvores, afiando as pontas com uma faca para carne roubada da cozinha. Cassie colhia frutinhas venenosas e pegou uma rosa do jardim de sua mãe. Nós esfregamos as frutinhas na cara e furamos o dedo com um espinho. Fizemos juramentos sagrados para sermos fortes e salvarmos o planeta e para sermos amigas para sempre.

Ela me ensinou a jogar paciência. Eu a ensinei a jogar copas.

Na primavera do quinto ano, a fada dos peitos chegou com sua varinha e a usou com toda a força em Cassie. Ela se tornou a primeira garota na nossa classe a precisar usar sutiã de verdade. Os garotos ficavam olhando e dando risadinhas. As garotas brilhantes, com as línguas rachadas e dedos que gostavam de beliscar, cochichavam. Em segredo, eu estava feliz por ainda ser reta e usar camisetas por baixo da roupa.

Os garotos experimentaram todos os palavrões e comentários cruéis com ela por semanas a fio. Cassie fingia não ouvir nada, mas eu sabia. O sangue ferveu na fila do almoço em uma sexta-feira. Thatcher Grey fez a alça do sutiã de Cassie estalar para todo mundo ouvir. Ela se virou com tudo, empurrou o garoto para o chão, pulou nele e começou a socar. Quando os funcionários a tiraram de cima dele, o garoto estava com o olho roxo e o nariz sangrando.

Thatcher foi para a enfermaria. Cassie foi mandada para o escritório do Sr. Parrish porque ele era o diretor e seu pai ao mesmo tempo. Ele gritou tão alto com ela que a gente conseguia ouvir do corredor, e então mandou a filha e Thatcher para casa pelo resto do dia. O restante de nós passou a tarde escrevendo redações sobre tolerância e gentileza. Isso deixou as garotas brilhantes fulas da vida, e elas disseram que tinha sido culpa da Cassie.

Na segunda-feira, as garotas declararam que Cassie era uma sapatona lésbica e a expulsaram da tribo. Eu não sabia o que uma sapatona lésbica era, mas não soava muito bem. Eu mastiguei a borracha na ponta do meu lápis e não falei com Cassie o dia inteiro. Ela almoçou sozinha na terça. Brincou sozinha no recreio. Em vez de pegar o ônibus, voltou para casa com a mãe.

Na quarta, os garotos cochicharam um corinho de "peito, peituda, teta, tetuda" sempre que a professora não estava prestando atenção. Thatcher fez um desenho de Cassie com seios do tamanho de melancias e passou para todo mundo ver na classe. As garotas brilhantes deram risada e enrolaram o chiclete ao redor do dedo indicador.

Na hierarquia natural do quinto ano, eu estava mais próxima do topo que da base porque meus pais eram ricos e meu pai tinha conhecido o presidente dos Estados Unidos. Na matemática complexa do ensino básico, eu era um número inteiro, e não uma fração.

Cassie e eu tínhamos feito um juramento secreto com suco de frutinhas venenosas e sangue. Eu não tinha escolha. Eu tinha que salvá-la.

Na hora do almoço, me sentei ao lado dela na seção dos "perdedores" da mesa. Eu dei todas as minhas batatas fritas para ela e falei bem alto sobre a gente ir para Boston visitar um museu com a mãe dela. As outras garotas ficaram de olho, as línguas passando por seus aparelhos nos dentes, sentindo o gosto do brilho labial e testando a direção do vento.

No recreio, fui falar com Thatcher: o garoto que se parecia mais com uma garota magrela com jeito de duende e do tamanho de uma aluna do segundo ano enfrentando um futuro zagueiro no futebol americano.

— Duvido que você me dê um soco — eu disse.

— O quê? Você está duvidando de mim? — Ele estava rindo demais para dizer qualquer outra coisa.

Eu o empurrei.

— Eu duvido e te desafio. Se você não tem coragem para me socar, então é um mariquinha covarde. — Eu o empurrei de novo, com mais força. — Mas se resolver me socar, então é um covarde maior ainda porque é mais difícil aguentar tomar um soco que dar um.

Sei lá como essas palavras saíram da minha boca.

Todo mundo disse "Óóóóóóóó!" e formou um círculo ao nosso redor. Thatcher procurou um professor para salvá-lo. Eu fechei os olhos e cruzei os dedos.

— Vai — eu disse.

Ele me socou com tanta força que cortou meu lábio e o molar já meio mole com o qual eu estava brincando com a língua saiu da gengiva. Eu cuspi o dente cheio de sangue na cara dele antes de desmaiar.

As garotas brilhantes trocaram de lado de novo. Eu tinha empurrado o Thatcher. Tinha provado que as garotas é que mandavam. Elas fizeram pulseirinhas trançadas para mim com linha de bordar e continhas, mas não aceitei o presente até elas providenciarem uma para Casssie também. Elas convidaram Cassie de volta para a tribo porque, na verdade, Thatcher era caso de *bullying* e tudo tinha sido culpa dele. Depois daquilo, Cassie e eu *sempre dizíamos para todo mundo que éramos gêmeas.*

... corpo encontrado em um quarto de motel, sozinho...

O corpo de Cassandra Jane Parrish está dormindo em uma caixa prateada e fria. Eles vão fazer um buraco no chão e plantá-la no sábado.

Mas e o resto dela, da Cassie de verdade?

Acho que ela está vindo aqui.

[011.00]

Emma vai dormir e Jennifer vai dormir e meu pai vai dormir. Do outro lado da cidade, minha mãe fica acordada até tarde demais, mas finalmente vai dormir, também.

Não consigo dormir. Relâmpagos de calor atravessam meu crânio, dando curto-circuito nos fios. Fico com frio, depois com calor, e depois não consigo sentir meus dedos da mão, nem do pé. Alguém está do outro lado da porta. Eu posso sentir. Mas… não.

Todo mundo está dormindo. Todo mundo está encantado, coberto por um sonho.

A Lua escorre e pinga através da minha janela.

Eu espero.

Aranhas saem de seus ovos e do meu umbigo, pequenas contas cabeludas de breu com pés de bailarina. Elas vêm em um enxame, tecendo um véu sedoso, um milhão de pensamentos-espada tecidos juntos até me enrolarem em sua mortalha aconchegante.

Eu inspiro. A teia se fecha sobre meus lábios abertos. Tem gosto de pó, como cortinas velhas.

O cheiro de gengibre e cravos-da-índia e açúcar queimado sopra por cima da minha cama, o cheiro do sabonete líquido e do xampu e do perfume dela. Ela está vindo. A qualquer minuto agora.

Eu expiro e tudo começa.

Trepadeiras cobertas de espinhos se espalham pelo chão, estalando como uma fogueira. Rosas negras florescem à luz da lua, nascidas mortas e quebradiças. A teia sobre meu rosto mantém meus olhos abertos, me forçando a ver Cassie saindo das sombras, roseiras rasteiras se enroscando em suas pernas e ao redor de seu corpo, chegando até o cabelo dela. Em um minuto ela está à porta; no outro, está de pé sobre mim. A temperatura do quarto cai uns vinte graus. A voz dela está na minha cabeça.

— Lia — ela diz.

Não consigo falar nada. As aranhas atravessam meu rosto e pulam para os braços dela. Elas voam para lá e de volta, tricotando nós duas juntas.

— Vem comigo — ela diz. — Por favor.

A teia nos prende no lugar, uma olhando para a outra enquanto a Lua se arrasta pelo céu e as estrelas adormecem.

[012.00]

— Acorda, Lia! — Emma sacode o meu ombro.

Eu resmungo e me enterro ainda mais fundo no meu casulo quente.

— Acorda! — Ela acende a luz. — Você vai se atrasar.

Abro os olhos e levanto a mão para bloquear a claridade. Ainda estou usando as mesmas roupas. Está escuro lá fora.

— Que horas são?

— Dã! — Emma diz. — Mais de seis e meia.

Meu quarto cheira a roupas sujas e velas antigas, e não especiarias, nem açúcar queimado. Enfio o rosto no travesseiro.

— Mais cinco minutos.

— Você tem que levantar agora. — Ela tira o edredom de cima de mim. — A mamãe falou.

— Ei! Está frio!

— Não grite; a mamãe está com enxaqueca. Eu tentei acordar você de mansinho, mas você nem se mexeu.

Jogo minhas pernas para o lado da cama e me sento. Não há sinal de teias de aranha por perto, nem pétalas de rosas no carpete. Cassie está no necrotério, com a barriga aberta e escorrendo como um peixe recém-pescado. Não aconteceu.

Eu tremo, puxo o edredom de volta e o enrolo ao redor dos ombros.

— Cadê o meu pai?

— Hoje é terça, bobona. Dia de *squash*. Por que eles não chamam *squash* de tênis se também tem raquete e...

"Saco."

Terça.

— Cadê a Jennifer?

— Secando o cabelo. Aonde você vai?

É terça.

Desço as escadas correndo para a lavanderia, o mais longe possível dos ouvidos de Jennifer. Abro a torneira, me inclino sobre a pia e me empanturro até minha barriga virar um balão de água enorme. Eu velejo na maré em direção à cozinha, carregada com lastro, as ondas quebrando ao meu redor.

Quando Jennifer desce com o cabelo seco e um delineador passado de qualquer jeito, já estou na primeira xícara de café do dia. Preto. Eu coloco o prato sujo do meu pai na minha frente para parecer que comi torrada com geleia.

— Enxaqueca? — pergunto.

Ela faz que sim com a cabeça, estremece e coloca uma caneca de água dentro do micro-ondas.

Minha não irmãzinha joga um diorama feito de caixa de sapato pela mesa para mim.

— É um coliseu na Grécia — ela diz —, onde eles torturavam as pessoas e davam elas de comer para os tigres.

— Parece o ensino fundamental — eu digo.

— Isso não é engraçado — reclama Jennifer. — E é o Coliseu Romano, em Roma, não na Grécia. Pare de mexer com isso, Emma. A cola ainda não secou.

O micro-ondas faz um bipe. Ela tira a caneca, coloca lá dentro um saquinho de chá com cheiro de limão, olha para o relógio e diz:

— Vem, Lia. Lá para cima.

***

Na segunda vez em que eles me deixaram sair da ~~prisão~~ New Seasons, há seis meses, eu me divorciei da ~~minha mãe~~ Dra. Marrigan e me mudei para a jenniferlândia.

Passado o choque, meu pai gostou da ideia. Seria um novo começo, ele disse. Com uma rotina previsível e alguém que sabia cozinhar. Toda manhã de verão eu cumpria a tabela da boa filha na cozinha e me sentava à mesa do café da manhã com meu pai (como dizia a papelada da alta: "as refeições em família devem ser leves e agradáveis"). Ele discursava sobre as novidades de sua pesquisa sobre a vida chata de um cara morto enquanto eu comia garfadas minúsculas de omelete de cogumelos e migalhas de pão de canela com manteiga.

Os médicos mandaram meu pai comprar um Gordômetro 3000, uma balança de banheiro com um mostrador gigante que era fácil de ler. Jennifer tinha que fazer o trabalho sujo, me pesar em meu roupão amarelo esfarrapado para garantir que eu continuasse gorda. Nos primeiros meses, ela media meus pecados toda manhã, e mandava os resultados para o meu médico uma vez por semana. Aqueles números horríveis me faziam chorar.

A pesagem de todo dia acabou virando a pesagem de dia sim, dia não, *e então a pesagem de toda terça porque ninguém queria fazer aquilo para começo de conversa.*

Visto o roupão amarelo no meu quarto e verifico se as moedas que costurei nos bolsos não estão os deixando caídos demais para quem vê. Quando vou para o banheiro, Jennifer está consertando o delineador no espelho. Subo na balança.

Quarenta e oito quilos e cinquenta e três gramas falsos.

Ela anota o número no caderninho verde que mora no armário ao lado da pomada antibacteriana e então folheia as vinte e quatro semanas de pesagens humilhantes anotadas.

— Você perdeu 113 gramas.

— Mas ainda estou no limite.

— Aham. — O caderninho volta para o armário. A capa está começando a se desprender da espiral.

Eu desço da balança e mudo de assunto.

— Posso levar a Emma para tomar sorvete depois da escola?

A boca madrasta se abre, mas nenhuma palavra sai.

Emma tem 9 anos. Emma é cheinha. Cheinha; não acima do peso, nem pesada, nem gorda. Ela tem ossos grandes — como o pai dela, ela diz — e seu corpo é perfeito. Emma deveria ser modelo; já ouvimos isso um milhão de vezes nas apresentações na escola e nos campeonatos de futebol. Ela é a nova "garota normal" norte-americana, uma garota de carne e osso com olhos de M&M's de chocolate, cabelo cacheado e uma camada de amor ao redor de sua barriguinha.

Jennifer acha Emma gorda, mas não tem coragem de dizer.

— Só uma bola — prometo. — No copinho.

— Hoje não.

Seu batom está sangrando nos cantos da boca. Ela tira um lenço de papel da caixa e se inclina para o espelho para consertar o estrago. É um espelho antigo, com pequenas ondas sobre a superfície. Às vezes ele pode fazer você parecer uma princesa elegante presa no tempo. Em outras, faz você parecer uma porca.

Eu abro a cortina do boxe e ligo a torneira da banheira. Jennifer borra, borra, borra.

— A Chloe ligou — ela conta. — De novo.

— Aqui?

— Não, no escritório do David.

Eu deixo a água mais quente. Não gosto do formato do nome da minha mãe na boca dela.

— Você ouviu o que eu disse?

— Você disse que a minha mãe ligou para o meu pai.

— Ontem você me prometeu que ia ligar para ela.

Eu me sento na ponta da banheira e testo a temperatura da água com meus dedos.

— Desculpa. Esqueci.

— Não se preocupe. Ela quer que você vá visitá-la neste fim de semana, e dormir lá também. Ela disse que chegou a hora de vocês duas tentarem de novo, especialmente com a morte da Cassie. Ela está muito preocupada com você.

— Não.

O reflexo de Jennifer faz cara feia para mim. Ela ainda está aprendendo a achar um caminho no terreno bombardeado que fica entre as pisadas na bola de madrasta e a mitológica Esposa Número Um. Mas ganha uma estrelinha por tentar.

Ela respira fundo.

— Eu acho uma boa ideia.

— Eu não.

— Mas, Lia, você deveria...

— Você não pode dizer isso. — O vapor enche o banheiro. Quero arrancar a roupa e me colocar para ferver, mas se ela me vir pelada vai entrar em pânico e, se eu entrar no boxe usando o roupão, vai entrar mais em pânico ainda. — A Dra. Parker fala que eu não tenho que deixar ninguém falar o que "devo" fazer ou não.

— Desculpe. — Ela faz um círculo no vapor do espelho. — Estou tentando ajudar.

— Eu sei.

Quando ela se casou com meu pai, eu era uma visita-de--uma-vez-por-mês que limpava a cozinha sem ninguém mandar e dava uma de babá de graça. Aposto que ela gostaria de ter uma cláusula no acordo pré-nupcial para escapar disso.

— O que meu pai disse para a minha mãe? — perguntei.

— Ele falou que ia falar com você.

A água flui, 18 litros por minuto pelo ralo. Jennifer está desaparecendo por trás da parede de vapor.

— Fique só uma noite. — A voz dela é grudenta, como o batom que sangrou na sua língua. — Chegue lá na hora do jantar do sábado e venha para casa depois do café da manhã.

Abro minha boca para pedir para ela ir comigo ao enterro, para ir ao velório no dia seguinte, para me ajudar a decidir se deveria ligar para os pais da Cassie ou se isso só pioraria as coisas. Abro a boca, mas o vapor entra e ferve as palavras.

— Você falou alguma coisa? — ela pergunta.

— Você vai ao mercado hoje?

— O quê?

— Você vai ao mercado? É que eu estou sem absorvente interno. — Mentira total, mas uma distração brilhante.

— Claro. Pode deixar que compro. Você vai ligar para a Chloe?

— Ligo para ela hoje à tarde. Agora, se você não se importa... — me levanto e faço que vou abrir o roupão.

Ela vai para o corredor fechando a porta.

— Obrigada, querida. Vou falar para o David.

Eu fico olhando para o vapor até ter certeza que ela desceu as escadas.

"Não me chame de 'querida'."

[013.00]

Desligo o chuveiro. Nuvens pairam no ar. Lágrimas escorrem pelo espelho, pelas paredes, pelas janelas. Espero pelo barulho mágico do portão da garagem se fechando e então conto enquanto o carro vai embora e se dirige para a Escola de Ensino Fundamental Park Street.

... Depois que eles reduziram o número de comprimidos verdes e de comprimidos laranja porque eu era uma menininha muito boa, a neblina na minha cabeça ficou mais fina e meu cérebro voltou para a primeira marcha. Demorei um pouco para me acostumar à vida na jenniferlândia. Sempre havia gente por perto, para começar. Jennifer tinha amigos. O meu pai fazia churrasco. Emma fazia de tudo para os dois me deixarem tomar conta dela, a não ser nas manhãs que eu tinha que ir para o curso de verão.

Meu pai ("cinquenta quilos, filhota — você está ótima") comprou um carro novo para mim ("três anos de uso, 120 mil quilômetros rodados, mas tem pneus novos e é muito seguro") para que eu pudesse levar Emma para a piscina, para o futebol e para a casa das amigas dela. Para falar a verdade eu não tinha muito para onde ir. Cassie tinha me deixado de lado. Meus outros amigos desapareceram quando eu não estava prestando atenção. Meu pai me prometeu um monte de viagens para me fazer sentir melhor. Nós íamos ver o nascer do Sol no mar, ouvir a orquestra Boston Pops, dirigir até o Canadá para tomar um cafezinho e virar o carro e voltar para casa. Ele foi tão convincente que realmente acreditei nele por um tempo. Mas então a editora se recusou a mudar o prazo para o livro dele de novo e ele teve que dar aula durante o verão e nós nunca fomos para lugar nenhum.

Meu carro me levou para uma loja de suprimentos médicos onde eu comprei uma balança digital superprecisa. Uma que não pudesse ser adulterada, *ao contrário do Gordômetro 3000...*

Tiro a balança de verdade de seu esconderijo no meu guarda-roupa e a levo para o banheiro. O peso deve ser medido sobre uma superfície firme. Os telefones tocam, um em cada cômodo da casa, sininhos de Natal fazendo “dim-dom”. A secretária eletrônica atende.

A água que sobra vai embora com meu xixi e tiro o roupão. Eu tenho 1,65 m de altura, um pouco menos que no primeiro ano do ensino médio. Foi ali que eu parei de menstruar, também. Eu finjo ser uma adolescente gorda e saudável. Eles fingem serem meus pais. ~~Está tudo bem.~~

Eu fecho os olhos.

Enquanto subo na balança, Jennifer avisa Emma sobre os perigos do sorvete.

Enquanto subo na balança, Emma fica com medo de baunilha.

Enquanto subo na balança, meu pai golpeia com a raquete e marca um ponto.

Enquanto subo na balança, minha mãe abre um estranho com uma faca.

Enquanto subo na balança, as sombras se aproximam.

Enquanto subo na balança, Cassie sonha.

Abro os olhos. Quarenta e cinco quilos. Estou oficialmente de pé sobre o Objetivo Número Um.

Há!

Se meus médicos soubessem, me jogariam de volta para o tratamento. Haveria consequências e repercussões porque (mais uma vez) eu quebrei as regras da Lia do tamanho perfeito. Tenho que ficar tão gorda quanto eles querem. Tenho que repetir minhas frases de afirmação diária como encantamentos para afugentar as vozes terríveis da minha cabeça. Preciso me comprometer com a recuperação como uma freira que se entrega de corpo e alma em um convento.

Eles são uns idiotas. Este corpo aqui tem um metabolismo diferente. Este corpo odeia arrastar as correntes que eles enrolaram ao seu redor. Uma prova disso? Com 45 quilos meus pensamentos estão mais claros, eu pareço melhor, me sinto mais forte. Quando eu atingir o próximo objetivo, vai ser tudo isso e mais.

O Objetivo Número Dois é 43 quilos, o ponto perfeito de equilíbrio. Com 43 quilos, vou ser pura. Leve o bastante para andar de cabeça erguida, e carnuda o bastante para enganar todo mundo. Com 43 quilos, vou ter a força para permanecer em controle. Vou ficar de pé nas pontas escondidas nas minhas sapatilhas de cetim de balé, fitas cor-de-rosa costuradas nas minhas canelas, e me erguer no ar: mágica.

Com 40 quilos, vou planar. Esse é o Objetivo Número Três.

Cassie assiste a tudo, meio escondida pela cortina do boxe.

— Desista — ela sussurra.

[014.00]

Estou atrasada de novo, e sonhando ao sair do banheiro (45! 45! 45! Amanhã vai ser 44,5!) quando a luz vermelha piscante me pega. A secretária eletrônica. Não é problema meu. Jennifer vai ver quem ligou quando voltar para casa.

Mas e se *for* a Jennifer me pedindo para ir buscar a Emma na escola de novo? Ou meu pai, precisando de algum papel importante que esqueceu. Ou a Cassie...

Bom, não. Não a Cassie.

Coloco minha mochila no chão, atravesso a cozinha congelada e aperto "play".

— Hum... alô? Espero que seja o número certo.

É a voz de um cara. Grossa. Ninguém que eu conheça.

Ele tosse uma vez.

— Estou procurando uma pessoa chamada Lia. Hum... Lia, se essa for a sua casa, bem, dã, e se não for, você não vai receber essa mensagem, né? Você pode ligar para o Motel Gateway, ou dar uma passada aqui se estiver por perto? Peça para falar comigo, Elijah. Eu prometi à Cassie que iria...

A máquina corta a voz dele.

Eu visto um dos moletons gigantes do meu pai porque não consigo parar de tremer. Escuto a mensagem umas dez vezes antes de ligar para a enfermeira da escola e dizer que estou tendo um dia péssimo e que estou a caminho de uma consulta de emergência com minha psicóloga. Ela diz que vai informar a secretaria.

Pego minhas chaves.

[015.00]

Passo com meu carro em frente a jardins presos entre feriados de família, alguns com perus infláveis no gramado, outros com bonecos de neve falsos e guirlandas classudas na porta da frente. Toda caixa de correio tem uma placa sobre um sistema de segurança pendurada nela. Esse bairro não é tão chique quanto aquele em que eu e Cassie crescemos, mas tenta com mais afinco.

O carro passa por baixo do viaduto. Eu sei que vou me perder. Eu sempre me perco. Eu deveria ter imprimido o mapa.

"Quem é esse cara e como ele conseguiu meu telefone e será que é armação e será que eu deveria chamar a polícia?"

Eu aumento o aquecedor do carro para "assar". A primeira saída me leva a um monte de prédios atarracados de escritórios com estacionamentos meio vazios. Volto para a 101. A próxima saída deveria me levar para a faculdade e, com a sorte que tenho, eu iria dar de cara com meu pai ou um de seus alunos cheios de planinhos diabólicos.

Terceira saída: River Road. Viro à direita. Os primeiros quarteirões são salpicados de lojinhas de família: um salão de manicure, uma loja de 1,99 em promoção, um café, uma loja de colchões, uma escola de caratê, aluguel de móveis. Na Lavanderia Automática, um menininho com uma mamadeira na boca está de pé em uma cadeira com as duas mãos sobre a vitrine. Ele sorri e a mamadeira cai no chão. Atrás dele, uma mulher passa roupas de um saco de lixo preto para uma máquina de lavar.

Passo por terrenos baldios, um bosque de cedros e uma igreja fechada com tábuas nas janelas. Alguns quilômetros depois — ligar a seta, verificar os espelhos — eu viro à esquerda para o estacionamento do Motel Gateway. Há bastante lugar para estacionar.

O prédio me lembra o diorama de caixa de sapato de Emma. É cheio de buracos: buracos gordos para as janelas, buracos magros para as portas. As paredes descascadas de estuque estão manchadas com a ferrugem das calhas com goteiras. O escritório é na ponta mais afastada do prédio, com uma placa de neon vermelho piscando na janela: "Vagas".

Saio do carro, tranco a porta e vou para o escritório, evitando a carcaça de um pássaro ainda com metade das penas.

[016.00]

Está tão frio na recepção quanto lá fora. O balcão tem um buraco do tamanho de uma bota. Atrás dele está sentado um homem com o cabelo todo penteado para um lado só por cima da careca e óculos de aros grossos lendo o jornal. A pequena TV presa à parede tem imagem trêmula e nenhum som. Um telefone público arranhado está sobre uma mesinha com alguns folhetos turísticos desbotados do Parque Canobie Lake, da Fazenda Robert Frost e do Museu de Motoneves de New Hampshire. Há uma porta com a placa "acesso privado" e outra que diz "banheiro — somente para hóspedes".

Eu não deveria estar aqui. Eu deveria estar na aula de Trigonometria. Não, de História. Eu deveria voltar para o carro e ir para a escola, diminuindo a velocidade nas faixas de pedestres e parando nos faróis amarelos. Obedecendo a todas as placas de limite de velocidade.

— Pois não? — O homem olha por cima do balcão para mim e aperta os olhos. — Você quer um quarto?

Eu mexo a cabeça.

— Não, senhor.

— Bem, então o que você quer? — A voz dele é molhada de alcatrão. — Você veio ver onde ela morreu? — Não é a voz da secretária eletrônica.

Faço que sim com a cabeça, discretamente.

— Então me pague dez paus. — Ele estende a mão e mexe os dedos em direção à palma.

Abro minha carteira. — Tenho só cinco.

— Serve. — Depois que dou a nota para ele, ele grita: — Elijaaaah!

A porta do banheiro se abre. O cara que sai de lá parece ser alguns anos mais velho e é quase 30 centímetros mais alto que eu, com cabelo preto grosso até os ombros e óculos de aro preto. A pele dele é branca como açúcar e, debaixo de uma barba sem-vergonha, o rosto dele mais parece um campo minado de espinhas. Ele está usando botas com ponta de metal, calças cargo pretas e folgadas, e um moletom do Patriots com a gola rasgada. Os olhos dele têm cor de fumaça e estão circulados por um delineador bem grosso. Um plugue de madeira marrom preenche o lóbulo de sua orelha esquerda.

Ele acena com a chave inglesa prateada na mão e sorri.

— Chamou, Sr. Slimeship?

— Ela quer ir lá ver — o homem mais velho diz, colocando meu dinheiro no bolso. — Mostre para ela.

A atitude convencida vai embora, e o sorriso desaparece. Ele coloca a chave inglesa sobre o balcão e resmunga:

— Vem comigo.

Quando estou saindo da sala, o velho grita:

— Não é para roubar nada. É tudo propriedade do motel.

Passamos por portas de metal, 103, 105, 107. A 109 está sem maçaneta. A 111 está marcada com tinta spray preta, mas não consigo entender o que diz.

O cara para tão de repente em frente à porta 113 que dou um encontrão com tudo com as costas dele.

— Desculpe.

— Não tem problema. — Ele tira um chaveiro pesado da argola em seu cinto, balançando a cabeça. — Você veio aqui por causa de uma aposta?

— Como assim?

— Um moleque apareceu aqui uma hora atrás. — Ele mantém os olhos fixados nas mãos, procurando a chave. — Os amigos dele o desafiaram.

Ele segura uma chave entre o polegar e o indicador, deixando as outras voltarem para a argola.

— Ele queria ver se tinha sangue.

Folhas marrons passam voando por nós. O vento sopra meu cabelo sobre meu rosto. Eu o prendo atrás das orelhas.

— Você estava aqui...?

Ele coloca a chave na fechadura, de costas para mim, a voz monótona como a de um guia de museu.

— Eu estava de folga naquela noite. Assisti ao beisebol em um bar na cidade, e então fui para a casa de um cara jogar pôquer. Ganhei 80 paus. E me dei um álibi e tanto. — A porta range quando ele a empurra. — Eles já descobriram o que a matou?

Balanço a cabeça. — Acho que não.

O vento sopra forte de novo.

— Tomara que tenha sido rápido.

O quarto atrás dele está cheio de escuridão. Eu tremo. Aquela foi a última porta pela qual Cassie passou. Ela entrou viva e saiu morta.

— Você tem nome? — ele pergunta.

— O quê? Eu? — Tremo tanto que estou batendo os dentes. Eu não conheço esse cara e não sei por que ele quer falar comigo. — É, hum, Emma. E você?

— Elijah.

Coloco os braços ao meu redor.

— Ela estava nervosa quando fez o check-in?

Ele balança a cabeça.

— Eu não a vi até ser tarde demais. Eu moro no 115. Quando voltei depois do jogo de pôquer, encontrei a porta aberta e as luzes acesas. Fui eu que a encontrei.

Eu saio de perto dele, fechando os olhos com força. Meu corpo inteiro dói, como se eu estivesse com gripe, ou o ar saindo do quarto 113 tivesse me infectado com alguma coisa. Meu coração bate com tudo na caixa torácica, de novo e mais uma vez, o sangue escorrendo pelas rachaduras no chão.

— Eu chequei o pulso dela — ele continua. — Liguei para o 190.

— Pare — eu sussurro.

Ele regurgita sua história mastigada para mim, mais um cliente pagante se banqueteando na loira morta. Venha ver o show de horrores, grave um vídeo com o celular, coloque o sangue no blogue. Aperte o círculo de arame escondido debaixo dos ossos da clavícula. Abro os olhos e me viro. Ele está lá dentro, nas sombras, procurando o abajur na cômoda.

— Eu falei para parar com isso — digo alto. — Não quero ver mais nada. — Saio andando, as pernas tremendo. — Preciso ir embora.

— Ei! — ele me chama. — Volte aqui.

Eu cantarolo para mim mesma para encobrir o som da voz dele.

— Ei! — ele grita. — Você conhece uma tal de Lia?

Eu paro, a mão na maçaneta do carro.

— O quê?

Ele vem correndo até mim, parando alguns passos antes do pássaro morto.

— Estou procurando uma garota chamada Lia. Talvez ela estude na mesma escola que você.

— Por quê?

Ele cruza os braços sobre o peito e treme uma vez. O vento mudou de direção para o norte.

— Eu só estou tentando encontrá-la.

O pássaro bate suas asas, ossos virando como dados.

— Desculpe — eu digo. — Mas nunca ouvi falar.

[017.00]

O cinema está vazio exceto por mim na fileira de trás e três ~~babás~~ mães com crianças grudentas lá na frente. A luz do projetor aprisiona uma galáxia de flocos de pele e casquinhas de pipoca dando piruetas pelo ar. Personagens de anime que mudam de forma lutam contra vilões na tela, uma matinê barata de animação japonesa.

Eu abro a sacola da farmácia.

Duas das ~~babás~~ mães conversam, enquanto a terceira discute ao celular. As crianças pulam nos assentos. Acima deles, monstros-robôs estão destruindo um vilarejo. Os heróis de olhos grandes se transformam em gente-raposa que atira fogo com as patas.

Eu tiro a caixa de lâminas de barbear da sacola.

::Estúpida/feia/estúpida/vaca/estúpida/gorda/
estúpida/criançona/estúpida/perdedora/estúpida/perdida::

Um monstro-robô joga um caminhão num garoto-raposa, os alto-falantes vibram com ecos de trovão quando o caminhão cai com tudo no chão. As crianças da plateia não estão nem assistindo. Elas estão brigando por causa da pipoca e dos doces, e reclamando porque querem fazer xixi.

A caixa se abre e as lâminas deslizam para fora, e sussurram com voz doce.

Antigamente, meu corpo inteiro era minha tela — cortes quentes lambendo minhas costelas, degraus de escada escalando meus braços, ramos grossos de flor-de-cera se espalhando por minhas coxas. Quando me mudei para a jenniferlândia, meu pai só impôs uma condição. Uma filha que se esquece de como comer, isso já era bem ruim, mas era apenas uma fase e eu já a tinha superado. Mas uma filha que abre seu próprio invólucro de pele, querendo deixar sua casca cair no chão para que ela consiga dançar? Aquilo era doentio. Sem cortes, Lia Marrigan Overbrook. Não sob o teto da casa do papai. Fim da discussão. Isso acabaria com o acordo.

Os heróis-raposa na tela grande transformam os próprios olhos em relâmpagos. Eles rangem os dentes e tremem quando os monstros os atiram contra a montanha, mas sempre, sempre se levantam novamente, amarram de novo seus cachecóis vermelhos e dão risada.

Toda a maldade ferve sob a minha pele, bolhas latejantes de refrigerante de gengibre lutando para respirar. Desabotoo meu jeans, abrindo um dente do zíper por vez. Eu me viro para a direita e empurro para baixo o elástico da calcinha. O lado esquerdo do meu quadril se arqueia para cima, azul à luz do filme.

::Estúpida/feia/estúpida/vaca/estúpida/gorda/
estúpida/criançona/estúpida/perdedora/estúpida/perdida::

Eu escrevo três linhas, "rec rec rec", na minha pele. Fantasmas gotejam para fora.

Os personagens que mudam de forma colocam mochilas-foguetes nas costas e seguem os monstros até um asteroide. Uma ~~babá~~ mãe arrasta a criança que quer fazer xixi para o lobby.

Eu guardo a lâmina na caixa, e a caixa na sacola, e aperto os cortes molhados com a mão até os créditos rolarem para cima. Antes de as luzes se acenderem, coloco os dedos na boca. Eu tenho gosto de roupa suja.

[018.00]

Depois de um dia perdida em um pesadelo, o carro me leva para longe do cinema, da farmácia e do motel que tritura garotas em pedacinhos minúsculos. Voltamos para a estrada e então para as montanhas, subindo até as casas todas iguais de Castle Pines, de volta para a casa do meu pai, nas nuvens.

Os três estão sentados ao redor da mesa da sala de jantar, as velas pulando ao som da música de cravo que sai dos alto-falantes. O ar está úmido com os aromas do jantar — sobras de peru, couves--de-bruxelas fedidas, salada, pães integrais e batatas com queijo, as favoritas de Emma. Uma refeição em família para nos lembrar de que somos uma família. Não somos um *reality show* (ainda), nem estranhos dividindo uma casa e as contas. Não somos um motel.

Há um lugar vazio em frente à Emma do outro lado da mesa — prato, guardanapo de papel, garfo, faca e colher de aço inoxidável. Minha mãe ficou com a prataria quando meus pais se separaram. Era da Vovó Marrigan, que dizia que comida servida com talheres baratos tinha gosto de lata. Ela tinha razão.

Meu pai olha para cima, um pedaço de peru pendurado no garfo.

— Você está atrasada, filhota. Sente com a gente.

— Eu fiquei lá até mais tarde para fazer um trabalho. Posso comer no meu quarto? Estou cheia de lição de casa.

Emma pula em sua cadeira.

— Fui eu que fiz as batatas, Lia. Quase sozinha.

Jennifer faz que sim com a cabeça.

— Por favor, Lia. Já faz tempo desde que tivemos um jantar agradável.

Meu estômago fica apertado. Não tem lugar dentro de mim para isso.

— Eu usei o descascador e uma faca. — Emma dá um sorriso com tanta força que as gotas de vidro do lustre tremem. — A mamãe cortou tudo em tiras.

— Que demais. — Eu puxo a cadeira e me sento. — Se foi você quem fez, então deve estar muito gostoso.

Meu pai engole e pisca para mim.

— Você pode me passar a salada? — pergunto.

Ele me passa a assadeira cheia de sobras de peru com molho. Tenho que usar as duas mãos para segurá-la porque pesa mais que tudo na mesa além da própria mesa, mais o lustre e a cristaleira feita sob medida que guarda a coleção de enfeites de vidro da Jennifer. Coloco a assadeira ao lado do meu prato. O triângulo PaiEmmaJennifer se fecha sobre a minha mão se estendendo para pegar o garfo.

Eu tiro uma fatia cheia de gordura de carne assada e ensanguentada de molho (250). "Plof."

Ofereço a assadeira para Jennifer. — Mais um pedaço?

Ela a coloca no meio da mesa e leva a conversa de volta para a dificuldade da Emma com problemas de divisão.

Meu pai nem tenta esconder o fato de que está olhando fixamente para o meu prato.

Eu pego um pãozinho integral (96) da cesta e duas couves-de-bruxelas amanteigadas (35), apesar de odiá-las. Na jenniferlândia Eu Sou Um Exemplo e preciso pegar pelo menos dois bocados de tudo. Arrumo o pão na ponta do prato, as couves-de-bruxelas uma de cada lado, equidistantes. Eu me levanto para alcançar as batatas com queijo e jogar uma colherada cor de laranja e nojenta (70) ao lado do peru.

Só porque me servi não quer dizer que vou engolir tudo aquilo. Sou forte o bastante para fazer isso, ~~o cheiro das batatas é tão bom~~ fique forte, vazia vazia, ~~o cheiro das batatas~~ forte/vazia/forte/respire/finja/segure a onda.

Eu preencho o restante do espaço com salada, pegando cogumelos a mais e deixando as azeitonas na tigela. Cinco cogumelos

= 20. Coma cinco cogumelos mágicos e beba um copo alto de água e eles florescem na sua barriga como esponjas com cor de neblina.

Forte/vazia/forte.

Jennifer pergunta para Emma quanto é quarenta e oito dividido por oito. Emma morde seu pãozinho. Meu pai faz que sim com a cabeça para o meu prato e diz que vai fazer uma chamada oral com Emma depois do jantar.

— Até os prófis de História precisam saber multiplicar e dividir, Emminha.

Eu abro o guardanapo sobre o colo, e corto o peru em dois pedaços, e então quatro, e então oito, e então dezesseis bocados brancos. As couves-de-bruxelas estão cortadas em quatro. Eu tiro o queijo de uma lasca de batata — que não vai me matar, batatas raramente provocam a morte — e a coloco na boca e mastigo, mastigo, mastigo, sorrindo pelos acres de toalha de mesa. Meu pai e Jennifer ficam de olho na divisão do meu prato, mas não falam nada. Quando me mudei para essa casa, isso teria sido chamado de "comportamento de distúrbio" e a voz de Jennifer atingiria um tom agudo e meu pai giraria sua aliança de casamento ao redor do dedo várias vezes. Agora fica sob a categoria de "batalhas que não valem a pena lutar porque pelo menos ela está sentada à mesa comendo com a gente, e seu peso não despencou para a perigolândia".

Coloco a mão esquerda sobre o colo, sob o guardanapo, debaixo do elástico da calcinha e encontro as três linhas já com cascas, desenhadas retas e verdadeiras. A cada mordida, aperto meus dedos sobre os cortes.

— Parabéns! — falo para a Emma. — Essas batatas são incríveis.

Enquanto meu pai reclama de um professor de Chicago que acabou de publicar um livro que é exatamente como o que está escrevendo, eu passo a comida pelo prato, em sentido horário.

Eu aperto o molho até ele sair por entre os dentes do meu garfo. Jennifer pede à Emma para dividir cento e vinte e um por onze. Emma não consegue.

Mastigo cada mordida dez vezes antes de engolir. Carne na minha boca, mastigar dez vezes, alface na minha boca, mastigar mastigar mastigar mastigar mastigar mastigar mastigar mastigar mastigar mastigar, couve-de-bruxelas empapada, chapéu de cogumelo, mastigar, mastigar, mastigar. Tomo um gole de leite manchando meu lábio superior de branco e provando que todos nós estamos muito bem.

— Você sabe quanto é cem dividido por dez? — pergunta Jennifer.

Uma lágrima rola pela bochecha de Emma e pinga sobre as batatas com queijo dela.

Meu pai dá uma pausa em seu discurso retórico e levanta as mãos.

— Sem chorar, Emma. A Lia também teve dificuldade para memorizar essas coisas, mas no final deu tudo certo.

É a minha deixa.

— Sabe o que me salvou? — pergunto. — A calculadora. Enquanto você tiver uma calculadora, vai ficar bem. Acredite em mim, não vale a pena chorar por causa de matemática.

Jennifer me lança um olhar madrasto, bem mais intenso que o normal, e serve outro copo de água.

— Você não teve uma prova hoje?

Eu pego o menor pedaço de batata do mundo.

— Física. Ele adiou a prova. Ninguém entende a velocidade da luz. E como está a enxaqueca?

— Como um rebanho de gado pisoteando a minha cabeça.

— Ai! — eu digo.

Emma tenta cortar uma couve-de-bruxelas com o garfo, mas a verdura pula o prato dela e rola pela mesa até mim. Jennifer estremece quando o garfo arranha o prato. Jogo a couve-de-bruxelas fujona de volta para Emma, que a pega com uma risadinha e enxuga os olhos na manga da blusa.

Jennifer se inclina para tirar a couve-de-bruxelas da mão de Emma, e derruba o copo de leite. Emma recua ao ver o leite inundando seu prato, encharcando a toalha de mesa e então pingando no carpete novo.

O telefone toca. Jennifer enterra a cabeça entre as mãos.

Meu pai se levanta.

— Pode deixar a secretária eletrônica atender — ele diz. — Eu limpo essa bagunça.

— Eu odeio gente que prefere deixar a secretária eletrônica atender primeiro só para ver quem é. Pode deixar que eu atendo.

Meu pai limpa o leite derramado, dá um tapinha nas costas de Emma e explica para ela que é só um copo de leite. Eu varro meu pão e metade da carne para meu guardanapo, dobro e o deixo sobre o colo. Jennifer volta com a boca em um nó perfeito.

— É ela — e passa o telefone para o meu pai.

Jennifer não é a razão pela qual meus pais se divorciaram. A razão se chamava Amber, e antes dela era Whitney, e antes dela, Jill, e as outras. Quando minha mãe finalmente o chutou para fora de casa, meu pai foi ao banco abrir uma conta só para ele. Jennifer trabalhava lá. Ele ficou tão encantado que voltou todos os dias por uma semana, fazendo perguntas imbecis sobre empréstimos para imóveis e contas de previdência. Eles estavam casados antes de eu me acostumar ao fato de que meus pais tinham realmente se divorciado.

Meu pai pega o telefone. — Alô? Espere um pouco... Chloe, eu consigo te ouvir...

Jennifer faz cara feia e balança a cabeça.

Ele entende a mensagem.

— Nós estamos jantando — ele avisa, enquanto sai de perto, com o telefone a três centímetros do ouvido. — Sim, todos nós. Ela está lidando bem com isso.

Quando ele vai para o corredor, a música para. O tocador de CD faz click e troca o CD: Tchaikovsky, "O Lago dos Cisnes". Jennifer manda Emma limpar o queixo, cheio de molho de queijo.

[019.00]

Meia hora depois, meu pai abre a porta para a minha mãe. A voz dela no hall de entrada me chicoteia de volta para a cadeira com trepadeiras espinhosas. A última vez que a vi foi no dia 31 de agosto, no dia em que fiz 18 anos.

~~Não consigo vê-la me vendo agora~~ Forte/vazia/forte.

A separação entre mim e minha mãe foi a mesma história manjada de sempre. A Garota nasce, aprende a falar e a andar, pronuncia palavras erradas e cai no chão. De novo e de novo. A Garota se esquece de comer, falha a própria adolescência, a mãe lava as mãos em relação à Garota, esfregando bem com sabão cirúrgico e uma escova por três minutos inteiros e então coloca luvas de borracha antes de entregá-la para especialistas, dizendo a eles que podem fazer experimentos à vontade. Quando eles a deixam sair, a Garota se rebela.

Minha mãe entra na sala de jantar, e Jennifer desaparece, "puf!". Ela ficar na mesma sala que a primeira esposa atrapalha totalmente as leis da Física.

— Estava atendendo até agora? — pergunta meu pai.

Minha mãe o ignora e anda na minha direção. Ela beija a minha bochecha e se afasta para me estudar com sua visão de raios X/ressonância magnética/tomografia computadorizada.

— Como você está se sentindo?

— Ótima — eu digo.

— Que saudade de você. — Ela me dá outro beijo, os lábios frios e rachados. Ela treme ao se sentar na cadeira de Jennifer. Os joelhos dela doem quando o tempo muda.

— Você parece cansada — ela aponta.

— Olha só quem está falando — respondo.

A Dra. Chloe Marrigan usa a fadiga como uma armadura medieval. Para ser a melhor, você tem que se esforçar ao máximo o tempo todo, e então se esforçar um pouco mais: semanas com cem horas de trabalho, tratando verdadeiros carregamentos de pacientes, fazendo milagres como alguém frita um hambúrguer. Mas esta noite ela parece pior que o normal. Não me lembro de ter visto aquelas linhas ao redor da boca dela antes. Seu cabelo amarelo cor de milho está domado por uma trança de raiz bem apertada, mas alguns fios prateados brilham à luz das velas. Antigamente, a pele de seu rosto era esticada como couro de tamborim. Agora está sobrando um pouco no pescoço.

Meu pai tenta puxar assunto de novo.

— Foi uma cirurgia de emergência?

Ela faz que sim com a cabeça. — Revascularização quíntupla das artérias coronárias. O cara estava podre.

— Ele vai sobreviver? — pergunta meu pai.

Ela coloca seu bipe ao lado do garfo sujo da Jennifer.

— Não é muito provável. — Ela estuda os três pedaços de peru que sobraram no meu prato e as migalhas de pão que espalhei perto dele. — A Lia está pálida. Ela está comendo?

— É claro que está — ele responde.

Ela só precisou dizer sete frases para começar a me irritar. Digno de qualificação para as Olimpíadas. Eu amarro a boca, me levanto, pego meu prato, pego o prato do meu pai, e saio da sala.

Jennifer e Emma estão à mesa da cozinha, com uma pilha de fichas entre elas para continuar a chamada oral de contas e divisões. Encho a máquina de lavar louça o mais lentamente possível e passo as respostas para Emma desenhando números no ar pelas costas de Jennifer.

Meu pai me chama da sala de jantar.

— Lia, volte aqui, por favor.

— Boa sorte — Jennifer diz baixinho quando saio da cozinha.

— Valeu.

Coloco os talheres da Emma no prato dela, e meu pai avisa: — Não se preocupe com a louça. Nós precisamos conversar.

Conversar = gritar + xingar + discutir + exigir.

A Dra. Marrigan arregaça as mangas de sua blusa de gola alta de seda verde. As unhas dela são curtas e sem esmalte, os dedos mágicos conectados às mãos ligadas aos antebraços presos com músculos de aço e tendões que levam aos ombros, pescoço e ao cérebro biônico. Ela tamborila os dedos sobre a mesa.

— Sente-se, por favor — ela pede.

Eu me sento.

Papai: Sua mãe está preocupada.

Mamãe: É mais que uma preocupação.

Lia: Sobre?

Papai: Já falei para ela que você está bem desde que soubemos da notícia.

Lia: Ele tem razão.

Mamãe, sua coluna sem tocar as costas da cadeira: Tenho medo de que a morte da Cassie possa desencadear o mesmo em você. Pesquisas mostram...

Lia: Eu não sou rato de laboratório.

Minha mãe olha para a tela em branco de seu bipe, na esperança de que ele toque.

Lia: A gente parou de se falar fazia meses.

Mamãe: Mas vocês foram melhores amigas por nove anos. Ficar sem se falar por alguns meses não acaba com tudo isso.

Lia encara uma mancha na toalha de mesa.

Papai: Você sabe como ela morreu?

Mamãe pega um pãozinho da cesta: A Cindy vai me ligar quando o resultado da autópsia sair. Eu me ofereci para explicar tudo para ela.

Papai: Aposto que vai mostrar que ela usou drogas.

Mamãe: Talvez, mas isso não interessa. O que interessa aqui é a Lia.

Emma entra na sala para dizer boa-noite, com os olhos inchados. Meu pai dá um beijo nela; a Dra. Marrigan lhe dá um sorriso clínico. Eu a abraço com força e cochicho em seu ouvido que contas de divisão são um cocô. Ela dá uma risadinha e me abraça forte também, e então sobe as escadas correndo para ir tomar banho. Jennifer fica de pé com as costas para Dra. Marrigan e para mim, e faz umas perguntas idiotas para seu marido sobre o caminhão de lixo na manhã seguinte, e as meias dele na secadora, detalhezinhos caseiros para lembrar à Esposa Número Um quem é que usa o anel de diamante nessa casa.

Empurro as migalhas sobre a toalha da mesa para a palma da minha mão. Cassie não morreu por causa de drogas, a não ser que fossem uns vidrinhos de aspirina. Ou ela bebeu vodca até ficar em coma. Ou se cortou fundo demais. Ou talvez outra pessoa a tenha matado, algum cara malvado a seguiu, roubou a bolsa dela e esvaziou sua conta no banco.

Não, isso teria saído no jornal.

Eu deveria ter perguntando para o Elijah o que ele tinha visto, o que a polícia tinha falado mesmo. Eu deveria ter dito meu nome para ele. Mas, não. Nem sei quem ele é; não de verdade. E se ele tivesse mentido sobre o álibi, e se a polícia pensasse que ele é um suspeito? E que tipo de cara mora num motel horrível daqueles? Talvez ele fosse coisa da minha imaginação. Aquele dia inteiro podia ter sido um sonho que inventei para mim mesma porque admitir que tinha passado o dia na cama era ridículo.

Mas duvido muito.

"Puf!" Jennifer desaparece de novo.

Mamãe, tirando um pãozinho de dentro da cesta: Não posso ir ao velório por causa do trabalho. Você vai?

Papai: Acho que pode ser meio estranho. Não falo com eles há anos.

Lia: Eu vou.

Mamãe: De jeito nenhum. Você está frágil emocionalmente. Pode deixar que nos represento no enterro, no sábado.

Lia: Mas você acabou de me lembrar que eu e a Cassie fomos amigas por um tempão.

Papai: Sua mãe tem razão. Você vai ficar mais nervosa.

Lia: Eu não estou nervosa.

Mamãe: Eu não acredito em você. Quero que você vá ver a Dra. Parker mais vezes. Pelo menos uma vez por semana, senão mais.

Lia, baixinho: Não. É uma perda de tempo e de dinheiro.

Papai: Como assim?

Lia: A Dra. Parker fica enrolando com a terapia para continuar recebendo.

Mamãe, tirando pedacinhos de grãos do pão: Você está viva graças à Dra. Parker.

Lia, sangrando onde eles não podem ver: Pare de exagerar.

Mamãe, deixando as migalhas caírem no chão: Ela está caindo no processo de negação de novo, David. Por que você está deixando isso acontecer? Você não está apoiando a recuperação dela, para você tanto faz.

Papai: Como assim? Nós a apoiamos cem por cento, não é, Lia?

Mamãe, com olhos meio ácidos: Você a protege demais e deixa que ela decida tudo.

Papai, alto: Você disse que nós a protejemos demais?

Eles partem para a batalha, os passos dessa dança gravados a fogo na memória muscular dos dois. Eu puxo uma vela para perto de mim e empurro a cera mole no topo para a chama azul.

Meus pais se conheceram em uma festa de verão perto de um lago, nas montanhas. Meu pai estava terminando o doutorado e conhecia o cara que era dono do chalé. Minha mãe teve uma rara noite de folga entre o estágio e a residência. Ela e umas amigas estavam procurando uma festa diferente e se perderam.

Quando eu era uma garota de verdade, eles ficavam abraçadinhos comigo no sofá e me contavam uma versão conto de fadas de como tinham se apaixonado:

Era uma vez, às margens de um lago roxo tão fundo que não acabava nunca, um homem que viu uma moça com cabelo dourado e comprido, andando descalça na areia. A moça ouviu o homem cantar docemente e tocar violão. Foi o destino que fez os dois se encontrarem.

Eles remaram uma canoa para o meio do lago e deram risada. A Lua viu o quanto eles eram lindos e como estavam apaixonados, e lhes deu um bebê só deles. Eles tiveram que remar com muita, muita, muita força, mas chegaram às margens bem na hora.

Eles chamaram o bebê de Lia e viveram felizes para sempre.

A pele da ponta do meu polegar repousa sobre o limite entre a segurança e a chama.

A história verdadeira não é poética. Minha mãe ficou grávida. Meu pai se casou com ela. Eles já não se suportavam mais quando eu nasci. Eram deuses aleatórios que acasalaram perto de um mar escuro como vinho. Eles deveriam ter me transformado em um peixe ou em uma flor quando tiveram a chance.

Mamãe: Ela está péssima. Quero que ela volte a morar comigo até se formar.

Papai joga o guardanapo sobre a mesa: Ah, pelo amor de Deus, Chloe...

Esses dois vão brigar para sempre.

Eu assopro e apago a vela.

Emma me escuta subindo as escadas e me pede para assistir a um filme com ela. Eu colo *band-aids* nos meus cortes que insistem em choramingar, coloco um pijama cor-de-rosa para a gente ficar combinando e me aconchego com ela sob o edredom de arco-íris. Ela coloca todos os bichos de pelúcia ao nosso redor em um círculo, todo mundo olhando para a TV, e aperta "play".

Quando ela adormece, eu mudo de canal, um depois do outro depois do outro depois do outro.

A Dra. Marrigan vai embora uma hora mais tarde, e nem se dá ao trabalho de subir as escadas para dizer boa-noite, ou perceber que eu ainda não desempacotei a maioria das minhas caixas, ou ver que quase irmã boazinha eu posso ser. A porta da frente se fecha com tudo, com um "vump" surdo que empurra o ar contra todas as janelas. O Professor Overbrook tranca a porta e aciona o sistema de segurança. Eu apago o abajur de princesa ao lado da cama. Emma respira pela boca aberta.

Os fantasmas não se atrevem a entrar aqui. Caio no sono com a cabeça sobre um elefante esfarrapado.

[020.00]

— Acorda, Lia! — Emma grita no meu ouvido. — Você vai se atrasar! Você vai levar bronca.

Eu estava sob o edredom de tie-dye, minha cabeça sobre o elefante. O quarto dela tinha cheiro de roupa de cama seca e gatos.

— Não dorme de novo!

— Que dia é hoje? — pergunto.

— Você sabe — ela responde.

Hoje é a quarta-feira do velório.

A aula de História foi uma palestra sobre genocídio, que terminou com dez minutos de fotografias de crianças polonesas assassinadas pelos alemães na Segunda Guerra Mundial. Algumas garotas choram e os garotos que geralmente fazem comentários engraçadinhos ficam encarando o lado de fora pela janela. Nosso professor de Trigonometria está muito, muito desapontado mesmo com os resultados da última prova. Tiramos mais uma soneca na aula de Física: *Uma Introdução ao Momentum e Colisão*. Meu professor de Inglês tem um chilique porque o governo agora exige que façamos mais uma prova para avaliar nossa capacidade de leitura, porque estamos no último ano e logo mais vamos ter que ler, ou alguma coisa assim.

Eu como no carro: refrigerante diet (0) + alface (15) + 8 colheres de sopa de molho de tomate (40) + uma clara de ovo cozida (16) = Almoço (71).

***

Dois minutos antes de o sinal tocar para nos libertar ao fim do dia, o alto-falante me ordena a ver a conselheira, a Srta. Rostoff, na sala de reuniões. A maioria das garotas do time de futebol está lá, também, assim como as amigas da Cassie da produção do teatro, e algumas garotas do musical. Mira, minha parceira de estudos da aula de Espanhol, no primeiro ano, acena para mim quando entro na sala. Ela estava no nosso grupo de escoteiras quando éramos pequenas.

Estamos aqui para compartilhar nossos sentimentos e discutir um memorial em homenagem à Cassie, "para que o espírito dela continue vivo". A sala está congelante.

A Srta. Rostoff tem caixas de lenços de papel decorados com gatinhos, alinhadas sobre a mesa. Sete litros de suco vermelho comprados na loja de 1,99 e copos minúsculos de papel estão dispostos em um arranjo bonitinho ao lado do prato de biscoitos pretos e brancos genéricos. A Srta. Rostoff acredita no poder de cura dos lanches entre as refeições. Ela me ama mais do que qualquer outra pessoa porque eu sou tão ferrada que preciso ver uma psicóloga no mundo real, e tenho que ir para a faculdade onde meu pai dá aula, então a parte dos conselhos levou só dois minutos.

As garotas da aula de teatro tomam conta do sofá acabado e do tapete em frente. O time de futebol gira nas cadeiras giratórias da sala de reunião. Eu me sento no chão perto da porta, minhas costas contra o aquecedor.

Enquanto esperamos pelos atrasados, o time de futebol reclama que não tem tempo suficiente na sala de musculação, e as garotas do teatro choramingam sobre a nova diretora, a *prima donna* que acha que a nossa escola é a Broadway. Eu olho para mim; não consigo atuar, nem jogar futebol, e a maioria delas têm notas melhores que as minhas. Mas eu sou a garota mais magra da sala, sem dúvida.

Há uma pausa desconfortável entre as histórias e a sala fica quieta demais. Alguém peida baixinho. O calor aumenta.

Não sei como elas fazem. Não sei como qualquer um consegue fazer isso, acordar todo dia de manhã e comer e ir andando do ônibus para a fila para entrar na classe, onde os professores-robôs nos injetam com Matéria A e Matéria B, e passam em cada prova que nos dão. Nossos pais fornecem a lista de ingredientes e nos lembram de fazer escolhas saudáveis: um esporte, dois clubes na escola, um objetivo artístico, serviço comunitário, nenhuma nota abaixo de B, porque, na verdade, ninguém é mediano, não aqui. É uma dança com passos complicados e em um ritmo que muda o tempo todo.

Eu sou a garota que tropeça na pista de dança e não consegue achar o caminho para a saída. Todos os olhares estão sobre mim.

A Srta. Rostoff checa seu relógio de pulso. É mais preciso que o da parede.

— Muito bem, garotas.

Uma garota do teatro levanta a mão — IMC 20. Talvez 19,5. Os tênis dela são pintados, um com um tabuleiro de xadrez impossível, de mil cores, o outro com carinhas felizes amarelas alternadas com caveiras pretas.

— Srta. Rostoff? A gente pode fazer um minuto de silêncio?

A Srta. Rostoff calcula tudo. Será que nossos pais vão gritar com a secretaria de ensino se ela permitir um ritual religioso em seu escritório? Ou vão gritar se ela nos negar nossa liberdade de expressão religiosa?

— Todo mundo concorda com isso?

Fazemos que sim com a cabeça, as cordas de marionetes amarradas às nossas cabeças balançando.

— Então muito bem. — Ela olha para o relógio de novo. — Um minuto de silêncio para a Cassie.

As garotas do teatro e do futebol baixam a cabeça. Eu também. Acho que deveria estar rezando. Eu nunca sei o que fazer nesses minutos de silêncio. Eles são tão... silenciosos. Vazios.

Alguém funga e tira um lenço da caixa. Eu dou uma olhada de leve através dos meus cílios. Os olhos de Mira estão fechados com força e seus lábios estão se mexendo. Uma garota que nunca vi antes enxuga o rosto com um Kleenex sujo que tira do bolso. Uma garota do futebol pega o celular para ler uma mensagem. A Srta. Rostoff esfrega suas unhas artificiais contra o polegar, e então confere o relógio de novo.

— Muito obrigada a todas.

Ela ~~dita as regras~~ estabelece os parâmetros de nossa discussão. Não vamos falar sobre como a Cassie morreu, ou por que, ou onde, ou quem nesta sala poderia ter feito alguma coisa para impedi-la, ou pelo menos que tudo acontecesse tão rápido. Estamos aqui para celebrar a sua vida.

trinta e três ligações.

***

A Srta. Rostoff já reservou um espaço para um memorial no Anuário, e escreveu um obituário para o jornal da escola. O time de futebol diz que está dedicando o restante de sua temporada à Cassie, ou seja, as duas semanas inteiras. As garotas do teatro querem fazer um minuto de silêncio antes de o musical começar, quando as luzes estão apagadas no palco, negro, acender uma única rosa em um vaso bem no centro, enquanto o coro canta *Amazing Grace*, e então a estrela da peça vai ler um poema sobre a tragédia de morrer cedo demais.

A ideia é reduzida à rosa sob o holofote por um minuto e uma menção no programa da peça.

— E a Lia? — Mira se inclina para frente para poder me ver melhor. — Você quer fazer alguma coisa especial? Vocês eram melhores amigas.

Eram.

— Essas ideias todas são ótimas — dizem meus lábios. — Mas acho que a Srta. Rostoff deveria falar com os pais da Cassie. Ver qual é a opinião deles.

Distração bem-sucedida. A conselheira fala sobre a perda da família e como podemos apoiá-los e como a porta dela está sempre aberta e as caixas de lenços, sempre cheias. Antes de sairmos, a capitã do time de futebol não deixa o time se esquecer de usar seus uniformes no velório hoje à noite. Mira diz que todo mundo da peça irá de preto.

[021.00]

Estou usando meia-calça azul-marinho sob o par de jeans largos e manchados, uma camiseta de manga comprida por baixo, uma blusa de gola alta, um moletom com capuz que roubei do guarda-roupa do meu pai e minha jaqueta, com uma surpresa da Cassie enterrada bem fundo no meu bolso esquerdo. E luvas. Nada que o pessoal usa em um velório.

Falo para Jennifer que não vou jantar em casa porque tenho que fazer uma pesquisa na biblioteca com recursos primários ridículos, o que significa que vou ter que usar um livro de verdade que provavelmente já passou pelas mãos de milhões de estranhos carregando Deus sabe lá quais cadeias de vírus mutantes. É uma mentira tão ruim que tenho certeza de que ela vai me pegar no pulo, mas ela está cheia até os cotovelos de papel machê ajudando Emma a fazer um templo grego.

Meu carro está parado na biblioteca. Eu ando a passos rápidos os dois quarteirões até a igreja, com a cabeça baixa e o cabelo sobre o rosto. O Sol se pôs uma hora atrás. O vento sopra frio com o cheiro de folhas queimadas e coisas mortas empilhadas em forma de fogueira. Os enfeites vermelhos e verdes de Natal estão pendurados nos postes de luz e em todas as lojas.

Eu posso sentir as sombras saindo da escuridão vindo até mim.

Na última vez em que eu estava internada, o psicólogo do hospital me fez desenhar um contorno em tamanho real do meu corpo. Escolhi um giz de cera gordo da cor de pele de elefante ou de uma calçada depois da chuva. Ele desenrolou o papel no chão, papel de açougue que se amassou todo quando me inclinei sobre ele. Eu queria desenhar minhas coxas, cada uma do tamanho de um sofá, no carpete dele. A massa da minha bunda e da minha barriga rola fazendo barulho sobre o chão e se espatifa contra as paredes; meus peitos, bolas de praia; meus braços, tubos de massa de biscoito escorrendo pelas costuras.

O médico teria ficado horrorizado. Todo o seu trabalho jogado no lixo, no desenho sem fim de um giz de cera cinza ranho. Ele teria ligado para os meus pais e haveria mais consultas (o taxímetro correndo, milhares de dólares do seguro-saúde fazendo "tic-tac"), e teria ajustado a dosagem dos meus remédios de novo, um comprimido para engordar minha autoestima, outro para fazer minha loucura emagrecer.

Então eu desenhei uma versão ameba de mim, uma fração do meu tamanho real, com dedos nas mãos e nos pés, pedras na minha barriga, brinquinhos bonitinhos, rabo de cavalo.

Ele puxou outra folha comprida de papel do rolo e me fez deitar sobre ela para que ele pudesse traçar o contorno do meu corpo sobre o papel, em tamanho real. O giz de cera envolveu meus ossos com força e me fez tremer. Ele não se atreveu a se aproximar da parte de dentro das minhas coxas. Ele não especulou sobre o tamanho, nem a condição dos meus órgãos internos.

Peguei uma revista da mesa enquanto ele colava os desenhos na parede com fita adesiva. Era uma revista "provocadora", localizada estrategicamente para jogar no ar faíscas que podiam queimar, acabando com a loucura ~~da paciência~~ dos pacientes dele. Até as pessoas feias na revista eram bonitas.

— Olha só — ele disse. — Que diferenças você vê, Lia?

Na boa? Eram dois fantasmas encerados horrorosos em papel de açougue. Eu sabia o que ele queria ouvir. Ele não suportava me ver doente. Ninguém suporta. Eles só querem ouvir que você está melhorando, está em recuperação, levando um dia de cada vez. Se você fica emperrada no "doente", então deveria parar de perder o tempo deles e morrer de uma vez.

— Lia? — ele perguntou de novo.

Os $$$$ estavam indo embora a cada "tic-tac".

Recitei minhas frases.

— O desenho que fiz não tem um contorno realista. Acho que tenho que trabalhar mais na minha autopercepção.

Ele sorriu.

Eu já tinha percebido que meus olhos estavam quebrados muito antes daquilo. Mas naquele dia *eu comecei a achar que as pessoas responsáveis não conseguiam enxergar também.*

Paro em frente à floricultura. No segundo andar, as luzes ainda estão acesas na minha antiga escola de dança. Passei uma vida inteira encarando os espelhos lá em cima. Flexionava e saltava, me curvava e girava; uma fada, um cisne, uma donzela, uma boneca. Depois do ensaio eu roubava o livro de anatomia da minha mãe e ficava pelada no quarto, traçando os músculos que nadavam sob a minha pele, procurando o ponto onde eles se afinavam em fitas fortes de tendões ancorados aos ossos.

A garota refletida pela vitrine à minha frente tinha poinsétias saindo da barriga e da cabeça. Ela tem a forma de uma salsicha de café da manhã sobre pernas de cabo de vassoura, os braços feitos de gravetos, o rosto borrado por uma borracha. Eu sei que sou eu, mas não sou eu, não de verdade. Não sei como sou. Não consigo lembrar como é que a gente faz para parecer alguma coisa.

Rostos cinza enchem as folhas vermelhas. Os fantasmas querem sentir meu gosto. Eles estendem as mãos, os dedos bem abertos. Eu ando rapidamente, saindo do alcance de suas sombras pegajosas. Quando passo sob um poste de luz, a lâmpada explode e sinto o cheiro de açúcar queimado. É ela. *Ela.*

Corro o restante do caminho até o velório, um passo à frente dos ganchos de ferro que ela está forjando.

[022.00]

A fila de gente esperando para encarar o corpo vazio serpenteia a porta da frente da igreja e pelos degraus para a calçada. Acordes sombrios do órgão se misturam à noite, transformando nossos sapatos em blocos de concreto e puxando nossos rostos para baixo até adquirirmos a aparência de árvores abatidas, cheias de folhas negras.

Todo mundo já passou por isso. No quinto ano foi Jimmy Myers, leucemia. No oitavo, Madison Ellerson e seus pais morreram em um engavetamento de trinta carros durante uma nevasca. No ano passado foi um cara do time de tênis, aquele que se classificou para o campeonato estadual. Não colocou o cinto de segurança, não tinha *air bag*. Quando o carro dele bateu em um caminhão, ele foi lançado através do para-brisa em um arco perfeito até aterrissar, embaralhado e lanceado, nos braços de um pinheiro. A fila para o velório dele deu a volta no quarteirão.

Ao passar pela porta da frente, sou atingida pelo zum--zum-zum das pessoas falando que tentam não ser ouvidas. Os pais desabotoam seus casacos e os dobram sem jeito sobre o braço. Gotas de suor se acumulam nas bochechas dos garotos, se apoiando na parede com as mãos no bolso e as gravatas afrouxadas. As garotas passam batendo seus saltos mais altos no chão e agradecem a Deus por não estarem naquela caixa bonita lá na frente.

Não tiro a jaqueta, que está com o zíper aberto. Pela primeira vez em semanas, estou quase aquecida. Velas de plástico com lâmpadas cor de laranja brilham ao longo das janelas escuras. A fila segue em frente a um ritmo contínuo, como se estivéssemos esperando para ver um show ou um jogo de futebol. Quando o time de futebol passa pelo caixão, a capitã entrega uma bola assinada pelo time todo para o pai de Cassie. Ele a passa para um homem vestido de preto que coloca o presente no caixão junto com o cadáver, gentilmente, para que ela não desperte.

Chama-se velório, mas ninguém quer velar por mortos que possam acordar.

Quanto mais me aproximo do caixão, mais calor fica. Pétalas de crisântemo com as pontas amarronzadas caem das coroas de flores penduradas nas alças de metal fazendo barulho. Estou murchando também, e minha cabeça está se enchendo de pregos enferrujados. Eu não deveria ter usado jeans.

"Idiota."

Há um espaço entre mim e o cara à minha frente, um espaço grande o bastante para quatro pessoas. Uma senhora atrás de mim sibila:

— Anda.

De repente, a organista para de tocar. As pessoas interrompem os cochichos. A organista tenta alcançar alguma coisa acima dela e uma pilha de livros cai no chão, fazendo eco sobre o chão de mármore como um tiro. As pessoas pulam. Eu consigo ver o fundo do caixão agora. A bola de futebol descansa ao lado de uma camiseta preta e dobrada da equipe do teatro. Os pés da Cassie estão escondidos sob um lençol de veludo branco, os dedões apontando para cima. Espero que eles coloquem chinelos bem quentes nela, e meias confortáveis. Espero que tenham deixado seu anel de dedo do pé no lugar.

A música começa de novo, um acorde menor, longo e trepidante.

O cara à minha frente vai até os pais da Cassie. A mãe dela chora e ele a abraça. É um tio, o tio legal, aquele que nos ensinou a esquiar na água. Ele também está chorando, se lamentando. Há apenas duas pessoas nessa igreja quente, cheia e lotada de pétalas mortas fortes o bastante para dizer e fazer o que todos estão pensando.

É a minha vez de encarar. Minha vez de estuprar os mortos.

A Bela Adormecida está usando um vestido azul-celeste com gola alta e mangas compridas. O cabelo dela parece uma peruca de boneca penteada à exaustão, de um amarelo cansado com reflexos ruivos desbotados no meio. Ela não está usando brincos, nem seu colar com um sininho de prata. Seu piercing de nariz e cicatrizes da acne estão escondidos sobre a base engessada sobre seu rosto. Eles usaram o tom errado de pálido.

Quero tirar o vestido dela e ver se eles abriram o zíper da sua barriga. Eu quero ver lá dentro. Ela gostaria de ver também, porque só falava disso, as criaturas escondidas com asas que davam coceira e antenas que nos cutucavam e nos mandavam cambaleando para o banheiro, Cassie para a privada porque ela conseguia se livrar de tudo, e eu para o espelho, para que a garota do lado de lá pudesse me manter forte e com costelas de aço.

Eles deveriam ter colocado a agulha de crochê dela no caixão ao seu lado, e lã para que ele pudesse ter alguma coisa para fazer na Eternidade. Alguns livros de Gaiman, Tolkien, Butler, uns tabloides, balinhas de hortelã — das verdes, não das azuis —, as fitas que ganhou na natação e os distintivos de escoteira, os pôsteres das peças das quais participou. Aposto que ela iria querer uma caixa de cereal para beliscar também: comida de conforto para a viagem.

A mãe dela chora mais alto que o órgão.

Enfio a mão no bolso da jaqueta e puxo de lá o pequeno disco de vidro do mar verde, nascido no coração de um vulcão, capaz de mostrar o futuro. Eu o roubei do quarto de Cassie quando a gente tinha 9 anos, mas nunca consegui fazê-lo funcionar, independente de qual fosse o alinhamento das estrelas.

Eu coloco o vidro mágico em sua mão congelada.

Os dedos de Cassie se enroscam ao seu redor.

Meu coração gagueja.

***

Ela aperta o disco verde com força, e então pisca — uma vez, duas —, arregala os olhos e olha direto para mim. Ela levanta a mão e toca o cabelo. Os fios saem de sua cabeça como paina. Alguns flutuam em direção às velas de verdade que queimam à cabeceira do caixão. Eles pegam fogo como velas de aniversário.

Não consigo respirar.

Cassie se senta lentamente. Leva o vidro mágico ao seu olho azul, olha através dele e ri, um som baixo e sujo que só poderia sair às duas ou três horas da manhã. Coloca o vidro na boca e o engole, e então limpa a boca com a mão, sujando os dedos de cera e de sangue.

Ela faz cara feia e abre a boca...

... não. Ela não está sentada ali. Ela não está ali de jeito nenhum. Não há sangue, nem uma nuvem de cabelo de boneca queimando ao fogo da vela.

Pisco. Ela desapareceu do caixão. A bola de futebol rola para trás. Os pés dela não estão ali para segurá-la.

Pisco.

Ela ainda está sumida, o lençol de veludo branco jogado para o lado como se ela não tivesse ouvido o despertador tocar e agora está superatrasada e seu pai vai tirar o carro dela de novo e ela vai ter que ir para a escola comigo ao volante, e isso dá um pouco de medo.

A música do órgão cai em cascatas e inunda a igreja.

***

A fila atrás de mim cochicha. As pessoas têm outros lugares para onde ir e coisas para fazer e episódios novos vão passar dali a meia hora e, além disso, são todas educadas demais para perceber que o caixão está vazio. O tio legal está abotoando o casaco. O espaço em frente aos pais de Cassie espera por mim.

Uma mão toca meu ombro e um cara fala baixinho no meu ouvido:

— Tudo bem. Pode ir. Estou logo atrás de você.

Tropeço, e então cambaleio, olhando para baixo, até a mãe dela. A Sra. Parrish me envolve em seus braços sem uma palavra e deita a cabeça no meu ombro. Dou um tapinha nas costas dela. O Sr. Parrish aperta a mão do cara atrás de mim e diz alguma coisa que não consigo ouvir porque a mãe de Cassie é tão pesada que está me arrastando para baixo da água que está à altura dos joelhos no santuário, e pelo piso de mármore. Ela quer que afundemos abaixo do porão, para a terra morna e rastejante, onde Cassie tem um quarto nos esperando, para que nós três possamos nos enroscar em um casulo e esperar pela primavera.

A mão me toca de novo. O Sr. Parrish nos arranca do chão e descasca sua mulher de mim. Ele beija minha testa com força, mas não consegue encontrar nada para dizer.

— Sinto muito pela sua perda — diz Elijah com os olhos esfumaçados, preso à mão que segura a minha. — Não existem palavras para esse momento.

Ele me puxa pela maré que se move em direção à porta. Tropeço e ele agarra meu braço para que eu não caia.

[023.00]

— Beba isto aqui.

Elijah empurra uma caneca pesada de chocolate quente na minha direção. Não me lembro quem pediu isso. Não me lembro de ter andado até aqui.

— Vá em frente.

Uso as duas mãos para pegar a caneca, e dou um gole. O chocolate quente queima meus lábios e minha língua e minha garganta cor-de-rosa. Bem feito para mim. Minhas mãos tremem quando coloco a caneca sobre a mesa, e derrubo o chocolate. Ele tira guardanapos de um suporte de metal para limpar a mesa.

Eu conheço este lugar, já vim aqui antes. É a lanchonete vegetariana que fica a alguns quarteirões da igreja. O lugar com música calminha, pãezinhos de cânhamo e petições na caixa registradora.

— Tudo bem, Emma? — ele pergunta.

Levo um minuto para registrar que ele está falando comigo, e que ainda não falei para ele quem sou porque é mais fácil mentir. Eu deveria dizer "Bem melhor, obrigada, e você?" com um sorriso de boa garota, mas estou cansada demais.

Ele empurra os guardanapos encharcados para a outra ponta da mesa.

— Ver gente morta pode ser uma coisa estranha.

Eu deixo os dedos sobre o vapor que sobe da caneca e observo o cozinheiro mexendo na grelha, na torradeira, no liquidificador. Cassie está sentada em todas as cadeiras, rindo, mastigando, apontando para o especial do dia no cardápio.

— Ela não está no caixão — eu falo de uma vez.

Ele congela por um segundo, os olhos fixos nos meus. O cabelo dele foi lavado e amarrado em um rabo de cavalo. O plugue de madeira no lóbulo da orelha foi trocado por um círculo oco de osso que forma uma janela redonda ao lado de sua mandíbula. Ele está usando uma camisa desbotada abotoada com uma gravata preta e triste. Suas mãos estão limpas. Ele fez a barba, ou pelo menos tentou.

— Eu sei — ele diz. — É apenas a casca dela, e não sua alma.

Faço que não com a cabeça.

— Não é isso que eu quero dizer. Ela se sentou no caixão. E então desapareceu. Você não viu?

Ele coloca as duas mãos sobre as minhas e se inclina para frente. Elas são tão quentes que deveriam estar brilhando.

— Me faz um favor — ele pede, devagar. — Tome um gole, feche os olhos e respire.

— Isso é besteira.

Ele sorri e faz que sim com a cabeça.

— É, eu sei. Mas faça assim mesmo.

Minhas mãos levam a caneca aos meus lábios de novo. Estou abafada por lençóis de veludo branco. As contas fazem "Click" no meu ábaco: 350 mililitros de chocolate quente = 400, mas estou congelando. Eu preciso ~~engolir aquilo tudo e pedir mais~~ dar um gole e ignorar o gosto.

Dou um gole, coloco a caneca sobre a mesa, sem derramar, e fecho os olhos. "Respire", ele disse. Respiro panquecas e batatas fritas. Cheiros nervosos.

— Continue respirando — ele ordena, sua voz o ressoar de um trovão a distância.

O cozinheiro coloca alguma coisa na grelha, que chia.

As pernas da cadeira riscam o chão quando o cara sentado à próxima mesa vai embora. Alguém levanta um suporte para copos que tilintam juntos como chuva. Algumas mulheres dão risada, a voz de uma atropelando a da outra. A porta do banheiro range.

— Pronto? — ele pergunta. — Abra os olhos. Não pense. Só abra os olhos e fique quieta.

A lanchonete fica em foco novamente: mesas, cadeiras, luzes, cozinha. Pôsteres cobrem as paredes. Através do buraco no lóbulo de Elijah consigo ver a Lua crescente e as estrelas pintadas na parede sob o relógio. A garota sentada perto dele não é Cassie. O garçom que enche a caneca dela também não é Cassie. Eu me viro em meu lugar para olhar ao redor. Ninguém aqui é a Cassie.

Estou segura.

— Melhor? — ele quer saber.

— Melhor. Obrigada.

— Sem problemas. — Ele espeta uma garfada de *waffle* encharcado em calda de bordo. — Você teve um momento de desespero. Acontece.

Ele enfia o *waffle* na boca.

— Espere um pouco — eu digo. — De onde veio isso aí?

Ele aponta para a mesa atrás de nós. A garçonete não a limpou. Ainda estão lá uma nota de cinco dólares debaixo do saleiro, uma xícara de café pela metade, um garfo sujo, e uma toalha americana com manchas de calda.

— Eles iam jogar tudo fora mesmo.

— Que nojo! E os germes?

— Comida grátis nunca me faz mal. Quer?

— Nem pensar.

Ele ri tão alto que o pessoal em volta se vira para nos encarar.

— Você é sempre estranho assim?

Ele ri de novo.

— Mais estranho ainda. Está vendo isso aqui? — ele desenrola a manga para mostrar a tatuagem que toma seu antebraço inteiro: uma coisa meio touro, meio homem, passando a bordo de uma bicicleta por uma barreira de chamas, com asas saindo de suas pernas, dos braços, e do capacete.

— O que deveria ser isso?

— Ele é o deus do pessoal que faz entregas de bicicleta. Legal, né? Essa visão dele veio para mim quando estava entregando um pacote em um escritório de advocacia em Boston. Eu o vi tão claramente que pensei que ele ia me pegar e me estrangular. Ele tinha que ir para a minha pele.

— Você tem visões.

— É um dom. Você precisava ver a tatuagem na minha bunda.

— Não, valeu. — Dou uma olhada rápida ao redor da lanchonete. Ainda nenhuma Cassie. — E se você tem uma visão que não gosta?

— Não importa se eu gosto ou não. O que interessa é que presto atenção, e tento descobrir por que ela foi enviada para mim.

Os olhos dele se atiram para alguma coisa acima do meu ombro, e de repente ele joga o prato de *waffles* pela mesa, quase derrubando tudo no meu colo.

Nossa garçonete aparece, saia jeans comprida, uma blusa de lã supergrossa, conchinhas minúsculas penduradas nos piercings na ponta da orelha. IMC 23. Ela apoia a bandeja sobre o quadril acolchoado e faz cara feia para os *waffles*.

— Quando foi que você pediu isso?

— Eu não pedi — respondo.

Elijah me chuta de leve debaixo da mesa.

— Meu amigo deixou para ela — ele inventa. — O cara com a jaqueta velha dos Bruins. Ele acabou de sair.

Ela aperta os olhos, sentindo cheiro de sacanagem.

— Você tem certeza?

— Ele não deixou a conta pra gente, deixou? — Elijah pergunta.

— Não. — Ela faz que não com a cabeça. — Ele pagou.

— E deixou uma gorjeta para você também, então não tem problema nenhum, certo? — Ele aponta para a bandeja. — Isso aí é meu?

Ela coloca o prato de pão integral torrado e um potinho de geleia vermelha na frente dele e sai andando sem dizer mais nada.

Ele despeja a geleia sobre o pão, espalhando uma camada grossa com a faca.

— Posso te fazer uma pergunta?

Ele dá uma mordida.

— Pode perguntar o que quiser.

— O que um entregador que anda de bicicleta e tem visões está fazendo aqui no meio de Lugar Nenhum, em New Hampshire?

— Eu não moro em Lugar Nenhum. Eu moro em Centerville. Quer um pedaço?

— ~~Claro~~ Não. — Faço que não com a cabeça. — Não estou com fome.

— E eu era um entregador. Agora sou um faz-tudo. Acontece que eu sou "o cara" com uma chave inglesa. — Ele dobra o pão ao meio e enfia tudo na boca. — É muito louco. Eu consigo fazer qualquer coisa.

— Aham. Claro. — Dou risada e, sem querer, tomo um gole de chocolate quente. — Como o que, por exemplo?

— Por onde começar? Sou poeta, filósofo, pescador. Meu pai me chama de vagabundo, mas isso é elitista, você não acha? Eu sei cortar madeira, preparar a terra para o plantio, servir chope, e plantar tomates perfeitos.

— Claro que sabe.

— Sou um jogador de pôquer animal, um xamã e um viajante em busca da verdade. Sei dirigir táxi, moto e montar touro, mas não por muito tempo. Remexo esterco de uma maneira original e artística. Assim que eu conseguir arrumar meu carro, vou virar um cigano à procura de um mundo perdido.

— E você também é ladrão — completo.

— Quando a situação exige. — Ele puxa o prato cheio de calda para a sua frente de novo e mergulha a torrada nela.

— Por que você não usa seus poderes para ganhar na loteria, ou fazer dinheiro nascer em árvore em vez de roubar comida?

— Não teria graça. — Ele lambe a calda da lateral de sua mão. — Sua vez. E você?

— Eu sou triste. — As palavras saem não sei de onde.

— Você a conhecia bem, não é?

As luzes piscam por trás dos meus olhos. Eu a conhecia como ninguém. Conheci suas festinhas do pijama, os biscoitos que fazia para vender, as paixonites por bandas de garotos e aquela vez em que quebrei minha perna andando na garupa da bicicleta dela e aquela vez em que a ajudei a pintar seu quarto de branco depois que ela tinha pintado tudo de preto, sem pedir permissão.

— Me conte alguma coisa sobre ela — ele pede. — Alguma coisa legal.

— Ela amava *waffles*.

— Todo mundo gosta, né?

— Ela dizia que o mundo seria um lugar melhor se todo mundo comesse *waffles* em vez de pão.

Ele come uma colherada de geleia.

— Por quê?

— Porque eles são mais gostosos e é mais divertido dizer "*waffle*" que "pão".

— Tem razão.

A garçonete carrancuda passa por nós e deixa a conta virada para baixo sobre a mesa. Elijah vira o papel e vê o total.

Tiro minha carteira da bolsa.

— Quanto eu devo?

Ele põe a mão no bolso.

— Pode deixar.

— Tem certeza?

— Aham. — Ele joga um punhado de moedas ao lado do prato. — Mas só se você tomar todo esse chocolate quente. Eu limpei uma fossa séptica para ganhar esse dinheiro. Não que você tenha que se sentir culpada...

Luto para não sorrir e acarinho a caneca com as duas mãos. ~~Eu sou uma adolescente saudável em uma lanchonete, e posso tomar mais uns goles de chocolate quente. E é tão gostoso e~~ Não quero ir para casa, não agora que estou começando a me aquecer. Vou deixar a nata se formar sobre o chocolate quente e ficar com tanto nojo daquilo que não vou mais querer tomar nada. Ele não pode exigir que eu beba a nata. Vou ficar por vinte minutos, até a biblioteca fechar.

— Você ainda está com fome? — pergunto.

— Sempre. O cheiro daquelas batatas fritas está me matando.

— Por que você não pede uma porção?

— Não posso. — Ele aponta para a pilha de moedas. — Só tenho isso.

Mostro meu cartão de débito para ele.

— Não tem problema.

Duas batatas fritas = 20.

[024.00]

Sou quase uma garota de verdade no caminho inteiro para casa. Eu fui a uma lanchonete. Tomei chocolate quente e comi batata frita. Falei com um cara por um tempo. Ri algumas vezes. Foi como patinar no gelo pela primeira vez, meio capenga, mas consegui. Mas quando entro em casa, os sussurros começam de novo...

...ela ligou.
trinta e três vezes.
você não atendeu.
corpo encontrado em um quarto de motel, sozinho.
você a deixou sozinha.
deveria deveria deveria ter feito algumaqualquercoisa.
você a matou.

Tento arrancá-los da minha cabeça me concentrando em voz alta. "Estou subindo as escadas. Estou entrando no quarto. Estou..."

você a deixou sozinha.

***

"... cala a boca, estou jogando minha bolsa na cama. Estou colocando meu pijama. Preciso do meu roupão, acho que o deixei pendurado..."

Abro meu guarda-roupa.

você me deixou sozinha.

Cassie está apoiada contra a pilha de caixas. Ela deita a cabeça de lado e acena.

— Você se divertiu?

Fecho o guarda-roupa com tanta força que a porta racha.

Ela quase foi ao médico há uns dois anos. Todo aquele entope/vomita/entope/vomita/entope/vomita não a deixava mais magra;

só a fazia chorar. A técnica dela a rebaixou para o time do segundo ano de futebol porque ela não conseguia correr rápido o bastante. A professora de teatro disse que ela não estava "brilhando" o bastante, e por isso não conseguiu o papel principal na peça.

— Não consigo parar, mas também não posso continuar assim — ela me disse. — Nada funciona.

Eu dei o maior apoio. Procurei nomes de médicos e clínicas. Mandei e-mails para sites de recuperação.

E sabotei cada passo.

Eu dizia como ela era forte e como ia ficar saudável e como eu estava orgulhosa dela e jogava na conversa quantas calorias tinha comido naquele dia, o número mágico na balança, o número de centímetros ao redor das minhas coxas. Nós íamos ao shopping e eu fazia questão de usar o mesmo provador que o dela para que ela pudesse ver meu esqueleto brilhando sob a luz fluorescente azul. A gente ia para a praça de alimentação e ela pedia batata frita com queijo, *nuggets* de frango, e uma salada. Eu tomava café preto e lambia adoçante artificial da palma da minha mão. Ela me pedia para ficar de olho na porta enquanto vomitava o almoço no banheiro sujo do shopping.

Andamos de mãos dadas pelo caminho de pão de mel até a floresta, sangue pingando de nossos dedos. Dançamos com bruxas e beijamos monstros. Nós nos transformamos nas garotas geladas e, quando ela tentou ir embora, *eu a puxei de volta para a neve porque estava com medo de ficar sozinha.*

Fico acordada até depois da meia-noite na sala, na esperança que Cassie fique de saco cheio e vá embora. Quando estou pronta para ir até o porão ~~para queimar os músculos das minhas pernas até o sol nascer~~ me exercitar moderadamente por vinte minutos para conseguir dormir melhor, meu pai vem cambaleando escada abaixo e para a cozinha. Escuto a geladeira se abrindo, e então o spray do chantilly de lata. A geladeira se fecha e ele vem na minha direção.

— Lia?

Meu pai está usando um roupão xadrez azul e verde que é mais velho que eu, calças de um pijama de flanela e uma camiseta cinza que diz "departamento atlético". Ele está descalço. O cabelo comprido demais, mais grisalho que preto, está todo espetado. Ele parece mais um sem-teto pedindo esmola em uma esquina mas, em vez de uma lata vazia, está segurando uma assadeira de torta enterrada debaixo de uma montanha de chantilly. As últimas duas fatias da torta de abóbora do dia de Ação de Graças, aposto.

— O que você está fazendo acordada? — ele pergunta. — Você deveria estar dormindo.

Eu mostro a última obra-prima de Neil Gaiman.

— Tenho que saber o que acontece no final. E você?

Ele se senta com todo cuidado na poltrona reclinável, a assadeira de torta sobre o colo, e desenterra a primeira garfada.

— Eu fico sonhando sobre a minha pesquisa e acordando a Jennifer porque acabo socando o colchão. — Ele faz cara feia. — Eu nunca deveria ter concordado em escrever esse trabalho.

— Por que não? — pergunto.

Ele dá outra garfada e mastiga. ~~O cheiro se enrosca perto de mim, abóbora docinha, docinha, chantilly derretendo na minha língua~~ Aquela torta está na geladeira há quase uma semana, já tem bolor crescendo na massa, ele vai passar mal.

Ele limpa uma gota de chantilly do canto da boca.

— Eu não fiz nenhuma pesquisa preliminar antes de escrever a proposta. Simplesmente achei que encontraria várias fontes importantes e fiz promessas demais. Agora estou empacado.

— Fale com a sua editora — proponho. — Conte para ela que você pisou na bola, e que pode escrever um livro diferente.

— Não é simples assim. — Ele manda para dentro outro pedaço enorme de torta.

Ao assistir à comida entrar em sua boca, as mandíbulas dele trabalhando como uma máquina de moer, e então engolir tragando tudo, sinto o pânico ferver dentro de mim. Passo as pontas dos dedos pelos cantos da capa do livro, empurrando as pontinhas até machucar.

— Antigamente você sempre dizia que qualquer situação ficava melhor quando o dia amanhecia — eu digo. — E se você voltar para a cama?

— Isso é coisa de adulto, Lia, um pouco mais complicado que isso. Mas não é nada com o que você precise se preocupar.

~~Porque eu ainda sou uma menininha que acredita no Papai Noel, na Fada do Dente e em você.~~

Ele procura os óculos de leitura nos bolsos do roupão.

— O meu laptop está por aqui?

Aponto para a prateleira acima da televisão.

— Ah! — Ele se levanta e vai para o outro lado da sala. — Por que você não acaba com essa torta por mim? — ele diz enquanto enfia a torta (545) na minha cara.

— Não quero. — Eu a empurro de volta. — Está nojenta.

Ele faz cara feia.

— Mas não vai te fazer mal. É só torta.

Ele mantém a assadeira a centímetros do meu rosto. Se eu desse um tapa na mão dele, a torta ia se espalhar por todo o *home theater* e escorrer pela tela da televisão.

— Nós não queremos que a sua mãe tenha razão sobre isso, certo?

— Razão sobre o quê? — pergunto.

— Sobre voltar para os seus antigos hábitos. Aqueles maus hábitos.

Eu me levanto, forçando-o a dar alguns passos para trás e me dar mais espaço.

— Estou cansada — desconverso. — Vou dormir.

Meus pés sobre os degraus acarpetados não fazem barulho algum. Abro a porta devagar.

Cassie foi embora. O quarto ainda tem um pouco daquele cheiro de padaria em época de Natal, mas ela não está aqui. Coloco umas músicas country para tocar no computador porque ela odiava isso, e me arrasto até a cama.

Assim que estou caindo no sono, a música para.

Cassie está sentada ao pé da minha cama, parecendo mais forte e mais saudável que antes, como se estivesse se acostumando a ser fantasma. Ela apalpa minhas pernas por cima do cobertor e diz:

— Dorme; vai ficar tudo bem.

Não há aranhas à vista, nem outros bichinhos amigos para fazê-la sair dali. Quero dizer a ela para me deixar em paz, mas não consigo abrir a boca.

[025.00]

Quinta-feira.

Acordo respirando terra. Tusso e cuspo os pedregulhos da minha boca, mas, quando inspiro o ar de novo, panos encharcados de lama enchem meus pulmões...

Não. É só o lençol grudado no meu rosto. Eu o tiro dali e saio da cama o mais rápido possível. A casa está escura, 5:45. É a primeira vez há várias semanas que estou acordada antes da Emma. Do corredor, consigo escutar meu pai ligando o chuveiro. Provavelmente ele tem mais uma reunião do comitê.

Acendo todas as luzes e me olho de relance no espelho. Meu metabolismo está diminuindo de novo. Bolhas amarelas de gordura estão se formando sob a minha pele. Estou começando a ficar nojenta de novo, fraca.

::Estúpida/feia/estúpida/vaca/estúpida/gorda/
estúpida/criançona/estúpida/perdedora/estúpida/perdida::

Eles me deram regras para momentos como este:

1. Identificar o sentimento.
2. Recitar ~~encantamentos mágicos~~ frases de autoafirmação, reler Objetivos de Vida, meditar sobre pensamentos positivos.
3. Ligar para a psicóloga se as conversas internas negativas continuarem.
4. Manter ingestão calórica e hidratação necessárias.
5. Evitar excesso de exercícios, e abuso de álcool ou drogas.
6. Bater os saltos dos sapatos três vezes, e repetir "Não há lugar como o nosso lar, não há lugar como o nosso lar, não há lugar como o nosso lar". Um tornado chegará em instantes para levá-la de volta para um local seguro. Ou uma casa pode cair na sua cabeça.

~~Nada funciona nada nunca funciona isso continua me matando por dentro~~ Eu me deito no chão para fazer algumas centenas de abdominais, até o suor inundar meu umbigo.

Novas regras:

1. 800 calorias por dia, de preferência no máximo 500.
2. Um dia começa com o jantar. Se eles me fizerem jantar à mesa, me entupir o bastante para ninguém me encher o saco. Fazer restrições no dia seguinte para compensar.
3. Se não tomar café da manhã, pegue o ônibus para ir para a escola.
   3.a. Melhor ainda — ir andando.
   3.b. Muito melhor — não ir.
4. Recomeçar o programa de exercícios.
5. Dormir com as luzes acesas até que a enterrem.

Sorrio e finjo durante o Jornal da Manhã na cozinha. Jennifer está atormentando Emma com cartões cheios de contas de divisão porque ela tem prova de matemática. Elas quase nem percebem que estou lá. E saem de casa dez minutos atrasadas.

O professor de Física demonstra momentum e colisão com uma bola de boliche e outra de *squash.* A bola de boliche ganha. Em vez de ter aula de História, marchamos até o ginásio da escola para ver uma série de estandes de faculdades. Representantes de algumas centenas de escolas e do exército também estão atrás de mesas carregadas de livretos brilhantes que prometem a todos nós um futuro incrível.

Cinco mil acres de árvores foram assassinadas para fazer esses livretos. Eles vão todos para o lixo ao fim do dia. Preciso pegar um? Não. Nós sabemos onde vou fazer faculdade. Se quero ir? Não.

O que eu quero?

A resposta para essa pergunta não existe.

Eu deveria ter ficado com o vidro do mar da Cassie, ou pelo

menos ter olhado através dele antes de devolvê-lo. Seria melhor que um livreto imbecil.

O pessoal do teatro me convida para sentar com eles na hora do almoço. Eu só quero tirar uma soneca na enfermaria, mas eles estão insistindo com tanta boa vontade que digo "Claro" e sigo todo mundo na fila do almoço.

Compro uma maçã pequena e manchada (70), e um iogurte light adoçado artificialmente (60). A garota à minha frente, Sasha, compra palitos de queijo empanados e fritos em banha, servidos com molho de tomate. E um *brownie*. E uma garrafa de água. O cara à frente dela (ele é responsável pela mesa de iluminação e pelo som) compra espaguete e paga um pouco a mais por outra porção de pão de alho. Outro cara compra pizza. A garota atrás de mim pega uma tigela de alface e salsão e uma tigelinha de ketchup. O restante das garotas compra salada com taco. A gente se senta no meio do refeitório, um aquário cheio de vairões, lebistes, tetras, molinésias e acarás. Os tubarões rodeiam suas presas. Enguias menos espinhosas batem com o nariz contra o vidro, procurando a saída. Flocos de comida para peixe e gotas de cocô pairam no ar. Algas verde limão deixam o chão escorregadio.

A turma do teatro fala sobre quem chorou no velório e quem não chorou e quem estava chorando porque levou um pé na bunda e não porque o corpo da Cassie estava naquela caixa acolchoada. Quando eles me perguntam alguma coisa, recito as frases escritas para mim com antecedência. Sim, foi tão trágico. Não, eu não tinha a menor ideia. Sim, eu acho que o coveiro fez um trabalho porco. Não, eu não acho que ela teria gostado daquele vestido. Sim, foi muito estranho...

As bocas deles se abrem, se fecham, abre-fecham, as brânquias se dilatando e se agitando atrás das orelhas. O óleo dos palitos de queijo boia na superfície da água. Os serventes vão limpar tudo com serragem. O cara-peixe da pizza derruba molho na camiseta. Uma garota da salada de taco tem um piercing inflamado no nariz. Ela estava na minha aula de balé no sétimo ano. Alface & ketchup continua me olhando feio, porque não importa o que ela faça, não consegue perder aqueles últimos quatros quilos e meio.

Corto fora a parte meio podre da minha maçã, pico o restante em oito fatias, mergulho uma delas no iogurte e a coloco sobre a língua, gostosa e macia. Ela desce minha garganta aos encontrões e mergulha.

— Eu nunca fui a um enterro — diz a salada de taco loira.

— Eu já fui a um monte — conta o espaguete. — A família do meu pai vive morrendo. Os enterros são todos a mesma coisa.

— A gente tem que jogar a terra na cova? — pergunta a salada de taco com o piercing no nariz.

— O cemitério faz isso. — O espaguete morde o pão de alho crocante. — Eles usam um tratorzinho, como aqueles de obra.

— A gente deveria ir todos juntos. — Sasha palitos de queijo toma um gole de água. — Igualzinho ao velório. Vai ser importante para os pais dela.

Cassie passa nadando pelas portas duplas, sem sapatos, o vestido azul se ondulando contra seu corpo. Seu cabelo vem flutuando atrás dela, embaraçado e trançado com fitas de alga marinha. Lesmas pequenas chupam a pele do pescoço e dos dedos dela.

Ela paira sobre a primeira mesa, examinando o refeitório. Eu encaro meu iogurte.

***

— Então você quer se encontrar com a gente na minha casa, Lia? — pergunta a salada de taco loira. Ela derramou molho de tomate na blusa, mas não viu. — Eu posso pegar a van da minha mãe; cabe todo mundo.

Cassie nada mais rápido, circulando ao redor do aquário, procurando por mim. Fico pensando se o vidro do mar ainda está na barriga dela. Ela vai ter que vomitar a pedra se quiser ver seu futuro. Mas talvez as coisas funcionem de um jeito diferente quando se está morta.

— Lia?

— Acho que não vou — eu digo enquanto Cassie desaparece para dentro da cozinha.

— O quê?

— Meus pais não querem que eu vá.

— Você precisa ir — resmunga alface & ketchup. — Nós todos vamos para mostrar nosso apoio.

— Que apoio? — pergunto.

— Apoio à Cassie — ela responde, mal-educada. — Não que você saiba o que é isso.

— Ei — aponto a faca de plástico para ela —, fui amiga dela por muito mais tempo que você.

— Ah, é mesmo? — Ela transforma seu rosto na máscara de ultraje: os olhos arregalados, a cabeça projetada para frente, a boca aberta fingindo estar chocada. — É por isso que ela nunca falava com você? Sei como você acabou com ela. Uma amiga de verdade jamais faria isso. Eu jamais faria isso.

As mesas ao nosso redor ficam escutando. A turma do teatro deveria ser sossegada e deprimida. Eles nunca brigam em público. Eu deveria nadar para longe, mas minhas brânquias se abrem e bolhas zangadas saem da minha boca.

— Se você era amiga dela, então onde é que estava quando ela estava assustada e sozinha? — eu pergunto. — Você atendeu ao telefone? Não. Não atendeu. Você é uma idiota.

— Do que você está falando? Ela não me ligou.

Sasha coloca a mão no meu braço.

— Calma, Lia.

— Calma? Como eu posso ficar calma? Ela morreu!

Estou de pé. Estou gritando. Acho que joguei meu iogurte na alface & ketchup.

Um peixe-segurança gordo vem nadando para garantir a paz.

[026.00]

Assim que entro em casa (fiquei até mais tarde na diretoria, obrigada, não, senhor, não vai acontecer de novo, sim, isso é muito difícil para todos nós), Jennifer vai sair.

— Seu pai prometeu ir ao supermercado hoje — ela diz quando penduro minha jaqueta no armário do hall de entrada.

— Posso adivinhar? Ele ainda está na biblioteca ou não atende o celular.

— Ele deixou o celular sobre a cômoda. Esse livro maldito está acabando com ele. — Parece que ela vai dizer mais alguma coisa, mas não diz. — Estou indo para o supermercado.

— Você quer que eu faça alguma coisa?

— Será que você poderia passar o aspirador de pó? A mulher da limpeza não veio de novo e os tapetes estão sujos.

A policial chega enquanto estou correndo atrás da Emma com o aspirador de pó, fazendo de conta que é um dragão. Eu passo a criatura mortal para ela e atendo a porta.

A policial se apresenta, “Detetive Margaret Greenfield”, e pergunta se pode entrar.

“Eu não matei a Cassie.”

A gente acaba indo para a cozinha, a policial na cadeira do meu pai, eu na minha, e Emma no meu colo, me amassando.

“Eunãoamateieunãoamatei.”

— Só algumas perguntas — diz a detetive. — Não há nada com que se preocupar, só estamos tentando conectar umas pontas soltas da história. — Ela abre seu bloco de anotações com um bocejo enorme. — Desculpe. A mudança de turno sempre atrapalha meu sono. Os registros do celular dela mostram que ela te ligou na noite em que morreu.

Eu respondo em transe.

— Não, eu nem tinha ideia que a Cassie tinha me ligado no sábado à noite. ~~Meu celular está no meu quarto~~ Não vejo meu celular desde sexta-feira à tarde. É o terceiro que perco em dois anos. Meu pai vai ficar furioso.

— Ele berrou mesmo da última vez — Emma completa. Ela se mexe no meu colo para transferir o peso para o outro lado, apertando os ossos do meu quadril contra a cadeira de madeira. — A Lia vai se dar mal agora. Ele vai deixar ela de castigo por cem anos.

— Bom, de volta à Srta. Parrish — a detetive diz.

Coloco o dedo sobre os lábios da Emma.

— Shhh...

— Não, eu não sei por que a Cassie me ligou. Eu não falava com ela há meses. A gente não era mais amiga. E por nenhum motivo especial, uma dessas coisas que acontecem no último ano do ensino médio.

A policial faz que sim com a cabeça e fecha o bloquinho.

— Eu ainda me lembro daquela época — ela diz. — Graças a Deus que acabou.

— Você pode me contar o que aconteceu com ela? — pergunto.

— Não, eu sinto muito. Mas se você se lembrar de alguma coisa, aqui está meu telefone. — Ela me dá um cartão. — Diga a seus pais que eles podem me ligar se quiserem. Como eu disse, não há nada com o que se preocupar. Só queremos fechar esse caso.

Depois de Emma fazer o maior auê sobre a visita da policial para o meu pai e Jennifer... depois de eu passar uma hora acalmando os dois, respondendo às mesmas perguntas milhões de vezes... depois de o meu pai ligar para a policial porque não acredita em mim... depois de Jennifer queimar os bifes, acabar acionando os alarmes de incêndio e pedir comida chinesa... depois de eu ler um capítulo de *Harry Potter* para Emma... depois de Jennifer dizer que o banheiro é dela porque vai tomar um banho de banheira... depois de meu pai cair no sono corrigindo trabalhos que comparam a eleição de 1789 e a eleição de 1792... a casa dorme.

O celular sai de seu esconderijo debaixo das minhas roupas sujas e vem de fininho para a minha mão. Enquanto ouço as mensagens dela sem parar, ligo o computador e visito um país que não vejo há meses, um bloguesupersecreto para garotas como eu...

***

Ganhei 200g entre o café da manhã e depois da escola.
Só água para mim o resto do dia, e amanhã começo o jejum de novo.
Amo vocês, garotas!

***

***

Desmaiei e caí na escada, então comi duas tigelas de cereal e estou me sentindo tão nojenta.
Quanto tempo tenho que correr para me livrar disso?

***

***

Putz, como eu sou GORDA.
Vocês sabem que é verdade.
Quero cortar tudo fora.

***

***

Tenho 2 semanas e 6 dias para perder 4,5 quilos. Socorro!

***

***

fiqueforteamoramorsejaperfeita

***

Centenas e centenas e centenas e centenas de menininhas estranhas berrando através dos dedos. Minhas irmãs pacientes, sempre esperando por mim. Eu desço a página de nossas confissões e discursinhos e preces, o desespero nos comendo uma mordida sangrenta por vez.

Duas moscas batem no meu abajur, “zum-zum”, sobras aleatórias do verão com algumas poucas horas de vida. Desligo a luz e elas voam para a tela do computador, dançando sobre arquivos baixados de costelas, quadris e clavículas de garotasmagras.com, ossos que saltam da pele e ficam por cima para secarem ao Sol. Lindas quando vistas pelas asas de papel de moscas fora da estação.

Desligo tudo e me arrasto para a cama.

As moscas se jogam contra a janela com barulhos molhados e cheios de raiva, e então me sobrevoam, esperando para se enfiarem na minha boca. Talvez elas conheçam a Cassie, escoltas do túmulo anunciando sua chegada.

Não consigo encará-la sozinha.

Desço as escadas de fininho e coloco as botas da Emma no segundo degrau de baixo para cima. Se o meu pai descer no meio da noite para comer ou trabalhar, vai chutar a bota e me avisar que está vindo.

Vou para o porão, tranco a porta atrás de mim e passo algumas horas suadas na máquina de step.

[027.00]

O alto-falante me arranca da aula de Inglês na sexta no meio de uma prova com consulta e me manda para o escritório da Srta. Rostoff. Ela me conta que minha madrasta ligou e tenho que sair mais cedo da escola para uma consulta de emergência com a minha psicóloga.

— Por quê? — pergunto.

— Cassie — a Srta. Rostoff responde. — Falar sobre ela vai te ajudar.

Minha bolsa escorrega do meu ombro. Está fazendo isso o dia inteiro.

— Falar só deixa tudo pior.

Ela olha de relance para a tela de seu computador.

— Você vai perder a aula de Física.

— Ah — digo, ajustando a alça da bolsa. — Isso muda tudo.

A Dra. Nancy Parker tem cheiro de bala de cereja. Eu me sento no sofá gordo de couro dela, coloco a bolsa no chão, e me enrolo no cobertor horroroso cor de framboesa. Ela desembrulha outro Halls. Eu acho que ela ~~é viciada~~ sofre de uma dependência do corante vermelho. Ela poderia explorar essa questão.

Ela liga o ventilador de barulho branco e coloca a bala na boca.

— Seus pais estão preocupados com o fato de a morte de Cassie estar fazendo você retomar os antigos hábitos.

O sofá fica em frente a uma parede tomada inteiramente por livros. ~~Eles estão cheios de idiotices.~~ Nenhum merece ser lido. Não há contos de fadas, nem caudas de fadas, nem princesas que empunham espadas, nem deuses que lançam relâmpagos. As páginas das frases de palavras de letras bem que poderiam ser equações matemáticas marchando para suas conclusões lógicas. Nancy Bala de Cereja não é médica. Ela é uma contadora.

— Fico pensando que pode haver dois conflitos nessa história. — Ela tira os sapatos e se senta com as pernas cruzadas. As rugas em seu rosto dizem que ela está chegando aos sessenta, mas as aulas de ioga mantêm seu corpo flexível como o de uma garota. — Confusão e dor pela morte de uma amiga, e o desejo de manter seus pais a distância.

Ela espera que eu encha o ar com palavras. Não faço nada.

— Ou eu poderia estar totalmente errada — ela diz —, e nada disso está te afetando nem um pouco.

A chuva cai com tudo contra as janelas.

... Eu comecei a vir aqui depois da primeira estadia na ~~prisão~~ clínica porque a Dra. N. Parker é ~~uma piada~~ especializada em adolescentes ~~loucos~~ com problemas. Abri minha boca durante as primeiras visitas e dei a ela uma chave para abrir minha cabeça. Que erro gigante. Ela trouxe sua lanterna e um capacete e um monte de corda para se aventurar por minhas cavernas. Ela colocou minas terrestres no meu crânio que detonaram semanas depois.

Eu disse a ela que estava fula da vida porque ela estava trocando as coisas de lugar no meu cérebro sem pedir permissão. Ela plantou uma armadilha explosiva em mim e assim, toda vez que eu pensava em alguma coisa como "Física é uma perda de tempo", ou "Preciso carregar meu celular", ou "Aprender japonês não pode ser tão difícil assim", a pergunta-irritante-do-inferno aparecia: "Por que você acha isso, Lia?".

Eu não podia nem me perguntar alguma coisa — "Por que estou tão cansada?" — sem tomar uma porrada de três das quatro respostas fornecidas-pela-psicóloga: "Porque meus níveis de glicogênio estão baixos", ou "Porque estou vivendo um sentimento de perda mal definido", ou "Porque perdi o contato com a realidade" — ou a sempre popular "Porque sou uma louca de pedra".

Uma vez fiquei com raiva e coloquei a boca no trombone. Falei que ela era uma perdedora ridícula e que apostava que ela não tinha nenhum filho nem neto, ou se tivesse eles nunca ligavam para ela e ela tinha sido abandonada pelo marido, ou talvez ele tivesse uma namorada, nunca se sabe, e até a mãe dela a deu para adoção porque ela não podia viver no mundo real com as pessoas que respiram, ela ficava lacrada em sua sala com os livros de mentira e o ventilador girando e chuva nas janelas.

Nada que eu dissesse a deixava brava. Eu não conseguia nem fazê-la piscar. Ela só me pedia para ficar naquele sentimento e continuar falando. Então eu calei a boca.

Antigamente eu sonhava em trazer uma faca para *a terapia e cortá-la em fatias como costeletas de porco.*

Dez minutos se passaram. Enquanto o sofá esquenta, eu me afundo mais ainda nas almofadas. O couro range.

— Quais palavras estão na sua cabeça agora mesmo, Lia?

"Raiva. Porca. Ódio."

— Eu gostaria de ouvi-las.

"Prisão. Caixão. Corte."

— Você tem que trabalhar na sua recuperação, Lia. Animação suspensa não é um tipo de vida ideal.

— Não tem nada de errado com o meu peso. Posso trazer aquele caderninho idiota da Jennifer, se você quiser.

— A questão não é o número na balança. Nunca foi.

"Faminta. Morta."

Passam-se vinte minutos. Tranço meus dedos no cobertor. Ela é Charlotte, eu sou Wilbur

::Mas que garota!/Inútil!/Louca!::

e esse pesadelo de crochê cor-de-rosa (lã de poliéster) é a teia dela. Não, ela não é a Charlotte; ela é a prima chata da Charlotte, Mildred, a burra, cujas teias sempre se partem. Se meus pais tivessem me deixado investir o dinheiro que perderam com essa mulher, eu já teria meu próprio apartamento.

Quarenta minutos. Eu já arranquei cabelos de pelo menos sete pessoas diferentes enroscados no cobertor: um comprido e preto, um branco e brilhante, um loiro bem fino, um ruivo enrolado, um fio castanho com a raiz branca, e um fio curto que pode ter sido de um cara — ou de uma garota que não está nem aí para a sua aparência. Os cabelos de gente rica que gosta de reclamar para estranhos.

— Você não precisava ter vindo aqui hoje — ela diz, finalmente. — Você poderia ter usado a desculpa da consulta para escapar da aula e fazer o que quisesse. Eu não conto nada para os seus pais a não ser que você me dê permissão, então eles não saberiam se você não tivesse aparecido.

— E daí? — pergunto.

— Você escolheu vir. — Ela estala as articulações da mão direita e sacode os dedos. — Acho que você quer falar um pouco sobre isso.

~~Sim, eu adoraria contar para você que a voz da Cassie está no celular na minha bolsa e que ela está me assombrando porque a deixei morrer. Mas se eu contar, você vai me dar mais remédio ainda. Se eu te contar o que comi hoje, você vai acionar o alarme e me mandar de volta para a prisão.~~ Eu coloco todos os cabelos no braço da poltrona.

— Eu fico pensando que, se eu pudesse tirar minha pele, sair desse corpo, então poderia ver quem eu sou de verdade.

Ela faz que sim com a cabeça lentamente.

— E como você acha que se parece?

— Bom, menor, para começar.

Os oito minutos finais marcham por nós em formação silenciosa até o cronômetro na mesa dela fazer "tim".

— Então, posso ir ao enterro? — pergunto.

Ela se abaixa para pegar os sapatos.

— Você entende por que quer ir ao enterro?

— ~~Para garantir que eles a enterrem em concreto e assim ela vai me deixar em paz.~~ Acho que preciso colocar um ponto final nessa história.

— E o funeral vai proporcionar isso?

— ~~Sim, foi o que eu acabei de falar.~~ Pensei muito nisso.

O relógio marca dois minutos a mais de bônus. Eu faço uma bola com os cabelos dos estranhos.

— É uma boa ideia. — Ela coloca os sapatos e se levanta. — Mas um dos seus pais tem de ir com você. Ninguém deve ir a um enterro sozinho, nunca.

No caminho de casa, tiro meu celular da bolsa e o cartão de memória e o coloco sobre o trilho de ferro atrás do cruzamento da linha do trem, perto do shopping. O celular eu deixo debaixo do meu pneu traseiro e passo por cima dele trinta e três vezes. Jogo os restos na caçamba de um canteiro de obras.

[028.00]

Elijah abre a porta do quarto 115 com a correntinha de segurança ainda presa à porta, e enfia o rosto naquele espaço mínimo.

Os olhos dele estão inchados de sono e confusos.

— Emma? — ele pergunta. — Tudo bem?

Eu ainda não sei como explicar essa coisa do nome.

— Eu trouxe pizza para você. Comida de graça.

A corrente chacoalha e a porta se abre por completo.

— E o que eu preciso fazer em troca?

A gordura quente da mussarela já encharcou o fundo da caixa e está pingando entre os meus dedos. ~~Eu quero lamber tudo~~ Eu quero jogar a caixa fora antes que me infecte.

— Não precisa fazer nada.

Ele se apoia no batente da porta.

— Mas sempre tem alguma coisa.

— É por ter me ajudado aquela noite.

— É pizza de quê?

— Queijo extra e calabresa.

Ele sorri.

— Mas eu não posso comer isso. Sou vegetariano.

— Não acredito em você.

Uma porta se abre no fim do corredor do motel e um homem grita em uma língua que não entendo. A mulher com quem ele está berrando ri como um chacal de desenho animado. Pneus freiam na River Road e um motor arranca com tudo.

Ele esfrega o rosto e dá alguns passos para trás.

— Beleza, eu sou quase totalmente vegetariano. Sou pizzariano. Entre.

O quarto tem cheiro de cigarro e de roupas que ficaram na máquina de lavar tempo demais. A única luz vem de uma luminária pequena sobre a mesa, espremida entre uma pilha de cadernos espirais com um cinzeiro sujo por cima, e uma caixinha de seis latas de cerveja.

Ele pega a caixa de pizza das minhas mãos e a coloca sobre a cama. Cartas de baralho estão espalhadas sobre os cobertores amassados e travesseiros finos estão empilhados junto à cabeceira.

— Que horas são? — ele pergunta.

— Quase cinco.

— Saco. Acho que caí no sono. O Charlie queria que eu consertasse as prateleiras no 204. Ah, fazer o quê. Ele precisa aceitar aquilo que recebe do universo.

— Que desculpa esfarrapada para não fazer um trabalho.

— Não é, não. Tudo acontece por uma razão. — Ele boceja e se estica. — Você tem que aceitar isso e se deixar levar pela maré, parar de resistir.

— Que merda.

Os olhos dele parecem mais brilhantes agora, maliciosos até.

— A merda de um cara é o adubo de outro. — Ele aponta para as paredes. — Pergunte para eles.

As paredes estão cobertas do chão até o teto com páginas arrancadas de livros, algumas grifadas com caneta vermelha, amarela ou verde. Eu me inclino para frente e aperto os olhos para ler à meia-luz. O topo da página diz "walden".

— O que você fez? Assaltou uma biblioteca?

— Mais ou menos isso — ele diz, indo para o banheiro. — Emerson, Thoreau, Watts. Sonya Sanchez, já leu alguma coisa dela? A Bíblia, algumas páginas. O Bhagavad Gita. Dr. Seuss, Santayana. Eu os coloco aí para criar um campo de força de boas ideias. Eles penetram meu cérebro enquanto estou dormindo. Espere aí, preciso trabalhar aqui. — Ele fecha a porta.

Eu pego o caderno no topo da pilha sobre a mesa e o folheio. Ele colou artigos de jornais aleatórios aqui e desenhou alguns rostos; até que ele não é ruim. Charlie do balcão da frente do motel.

Uma mulher cansada de bobes na cabeça. Há outras criaturas, meio humanas, meio alguma outra coisa, como aquele negócio no braço dele. Algumas páginas estão cheias de uma letra de mão minúscula que parece mais um bando de formigas marchando pela folha.

Elijah sai do banheiro segurando um rolo de papel higiênico.

— Sabe, os segredos do universo estão escritos aí. Você deveria se sentir muito especial, tendo permissão para fuçar neles desse jeito.

— Desculpa. — Coloco o caderno de volta ao topo da pilha. — Você não é daqui, né?

Ele joga o rolo de papel higiênico nos travesseiros, abre a caixa e tira um pedaço de pizza.

— Nova Jersey. — Ele dá uma mordida e o queijo se estica como uma ponte suspensa entre a boca e a mão dele. — Vai aí?

~~Uma mordida, por favor, e depois outra e outra, massa e queijo calabresa molho e outra e mais uma~~ Ser vazia é ser forte e invencível.

— Já comi.

— Sobra mais para mim. — Ele se senta na cama. — Quer jogar pôquer?

— Não, valeu.

Ele pega um punhado de cartas: ouros e espadas.

— Qual é o seu vício: *Texas hold'em* ou *stick* de cinco cartas? Quanto dinheiro você tem?

— Já falei que não. Você só quer pegar o meu dinheiro.

Ele dobra a pizza ao meio e dá outra mordida.

— É isso mesmo — ele responde com a boca cheia. — Mas você vai aprender muito comigo. Eu sei roubar como ninguém.

Ponho a mão esquerda atrás das costas e enfio as unhas na

palma da mão até a dor levar para longe aquele cheiro ~~delicioso~~ maldito.

— Não sei jogar.

— Estou chocado. Quantos anos você tem?

— Dezoito.

— Você pode votar e entrar para o exército, mas não sabe jogar pôquer? Alguém negligenciou a sua educação, minha cara Emma. — Ele embaralha as cartas como um profissional. — Sente aí. Vou te ensinar.

Dou dois passos em direção à porta, fazendo que não com a cabeça e lutando contra um sorriso.

— Desculpe, mas o universo está me dizendo para ir para casa. Viu? Estou indo com a maré, pegando uma onda até o estacionamento.

— Entendi. Tudo bem. — Elijah usa o papel higiênico para limpar o molho de tomate da cara do valete de ouros. — Espera aí. Você sabe onde tem um bom ferro-velho? Charlie jura de pés juntos que não tem nenhum no estado inteiro. O El Camino parado lá fora é meu, mas não vou conseguir sair daqui sem um distribuidor novo.

— Você pega peças para o seu carro em um ferro-velho? — pergunto.

— E você não? É o jeito mais barato, e também é reciclagem.

— Meu pai deve saber. — Fecho o zíper da jaqueta. — Vou perguntar para ele. Ele leva jeito com carros.

— Legal. Valeu. — Ele aponta para a caixa. — Tem certeza de que não quer um pedaço para comer no caminho?

— ~~Sim, é claro que eu quero.~~ Não, obrigada.

E eu fico de pé ali. E fico ali.

Esperando.

— Pensei que você fosse embora. — Elijah coloca uma rodela de calabresa na boca. — Quer um beijo de despedida? Fico feliz em ajudar.

— Não. — Enfio as unhas na palma da mão de novo para tomar coragem. — Olha — digo —, tenho que confessar uma coisa. Não foi só uma pizza de agradecimento.

— Eu sabia! — Ele sacode o punho no ar. — Você se apaixonou por mim. Você quer ser a mãe dos meus filhos. Vamos pegar uns cavalos e uma carroça coberta e viajar até a América do Sul e ter uma criação de bodes.

— Vai sonhando. — Raspo a garganta. — Eu trouxe essa pizza para subornar você.

— Eu sou subornável.

Respire fundo.

— Eu preciso que você vá ao enterro da Cassie comigo. No sábado de manhã.

Ele sorri de novo.

— Viu? Você está me chamando para sair.

— Não, não estou, seu idiota. É um enterro. Um enterro horroroso e não sei para quem mais pedir.

Ele arranca um pedaço de massa com os dentes.

— E o que é que eu ganho com isso?

— Eu acabei de te dar uma pizza.

— Mas não é suficiente. Os enterros trazem à tona o pior lado das pessoas. Elas ficam com uma vibração muito sombria. — Ele faz que não com a cabeça. — Não, não posso.

— Mas você precisa ir.

— Não preciso, não.

Eu mordo o lado de dentro da bochecha.

— Que tal um jogo de cartas? Se eu ganhar, vai comigo.

— E se você perder?

Eu engulo.

— Se eu perder, te dou cinquenta dólares. Mas com uma condição.

— Viu? Eu falei para você. Sempre tem alguma coisa por trás. O que é?

— A gente vai jogar copas, e não pôquer.

[029.00]

Quando chego em casa, Jennifer e meu pai estão abraçadinhos no sofá em frente à lareira movida a gás, com as chamas baixas, um filme de mulherzinha na tela. Jennifer está fazendo uma massagem nas mãos e nos pulsos do meu pai com um creme. Tudo aquilo que ele está digitando a mais para o livro atrasado deve ter piorado o túnel do carpo dele.

— Cadê a Emma? — pergunto. — Ela já foi dormir?

— Ela foi dormir na casa dos Grants — Jennifer esclarece. — Contra a minha vontade.

— Por quê? — pergunto.

Jennifer coloca mais creme na palma da mão.

— O último torneio de futebol dela é amanhã, o dia inteiro. Ela vai estar exausta. Eu ainda acho que ela deveria ter ficado em casa.

— Deixe a garota se divertir. — Meu pai se esquiva um pouco enquanto Jennifer massageia seu pulso. — Em dez anos, ninguém vai se lembrar de como ela jogou nesse torneio. — Ele olha para mim. — Você estava na biblioteca de novo?

— Na casa de uma amiga. Da Mira — minto. — A gente estudou um pouco de Física, mas na verdade mais jogou cartas e comeu pizza.

— Que maravilha! — diz meu pai, sorrindo. — Fazia um tempão que você não saía.

Jennifer fica de olho em seu trabalho, as pontas dos polegares fazendo círculos na base da palma da mão dele.

— Como foi a consulta com a Dra. Parker? — ela pergunta.

~~Não é da sua conta.~~

— Boa. Ainda bem que eu fui. Nós falamos sobre a Cassie.

— Excelente — diz meu pai. — Estou muito orgulhoso de você.

— Obrigada. Vou dormir. Estou morta.

— Espere aí. — Jennifer coloca a mão dele sobre o colo e finalmente olha para mim. — E o enterro?

Eu paro à soleira da porta que leva para o hall de entrada.

— Ela disse que é uma boa ideia. Eu vou com a Mira e um monte de garotas da turma do teatro.

— Se você se sentir desconfortável — aconselha Jennifer — não pense duas vezes antes de ir embora. E se mudar de ideia e quiser que um de nós vá com você, não tem problema.

— Tudo bem.

Enquanto me viro para deixar a sala, Jennifer completa:

— Espere; mais uma coisa.

Eu volto de novo.

— Falei com a sua mãe hoje — confessa Jennifer, ignorando a cara de surpresa do meu pai.

— E...?

Estou com um pressentimento ruim sobre isso.

— Prometi a ela que tentaria te convencer a dormir na casa dela amanhã à noite.

Eu sabia.

— Eu não quero — digo. — Não tem por quê.

— Eu sei — responde Jennifer. — Você é adulta, e toma suas próprias decisões. Estamos começando a descobrir isso. — Ela sorri um pouco e usa palavras mais amenas. — Às vezes ser adulta quer dizer fazer a coisa certa, mesmo que não seja aquilo que você quer fazer.

— Eu não sei como isso seria a coisa certa — respondo. — Minha mãe e eu não conseguimos conversar sem gritar. É melhor não ficarmos perto.

— Mas faz meses que vocês não passam tempo juntas — aponta Jennifer. — Talvez isso tenha mudado.

A cabeça do meu pai vai de um lado para o outro, como se ele estivesse assistindo a um jogo de tênis, mas não entende a língua falada pelos comentaristas.

— Só uma noite — diz Jennifer. — Pense que bom exemplo você daria para a Emma; como encarar as coisas que te trazem desconforto. Todo mundo tem que aprender como fazer isso.

Não vale envolver a Emma na conversa desse jeito. Vantagem para: Jennifer.

— Beleza — eu digo. — Uma noite. Mas você combina com ela. Odeio falar com ela ao telefone.

Tomo um banho demorado e lavo minha madrasta mandona, meu pai confuso e o cheiro de queijo, calabresa e motel do meu cabelo.

Mas ganhei uma coisa hoje. Acabei com o Elijah no jogo de copas. Pego ele amanhã de manhã às dez. Não estamos a fim de ver os discursos na funerária. Vamos direto para o cemitério. No caminho vou ter a oportunidade de explicar a confusão sobre o meu nome, se ele calar a boca por mais de trinta segundos. Talvez a gente fuja para a América do Sul depois do enterro para criar bodes.

***

Toda noite Cassie fica mais corajosa, aparece mais cedo e fica por mais tempo, me assustando cada vez mais. Depois que o caixão dela estiver preso no chão e as preces mágicas forem ditas e as flores colocadas sobre ela, ela vai dormir para sempre.

Mas eu preciso dormir. Tomo um remédio para dormir e desço as escadas de fininho em meu roupão para pegar uma caneca de chá de camomila.

O filme acabou e Jennifer e meu pai estão falando baixo, com o Canal do Tempo zumbindo ao fundo. Paro num canto da cozinha, esperando ouvir barulho de beijo. Odeio entrar na sala quando eles estão dando um amasso.

Eu dou uma olhada de leve. Nenhum beijo. Só estão conversando, cada um ocupando uma ponta do sofá com as almofadas entre eles.

Marido: Você está exagerando. Ela está um pouco estressada, mas está tentando.

Mulher: Ela não parece muito bem.

Marido: Você verifica a balança toda semana.

Mulher: Eu queria que ela fizesse um check-up. Uns exames de sangue.

Marido: A gente só pode sugerir isso. Para falar a verdade, forçar essa questão pode piorar tudo.

Mulher: A Chloe quer que a Lia volte a morar com ela.

O marido pega o controle remoto e calibra as chamas na lareira: Não é só para passar uma noite?

Mulher: Ela acha que a Lia está fora de controle de novo. Eu concordo. Alguns meses com a mãe dela podem ajudá-la a entrar na linha de novo.

Marido: Foi você quem me convenceu a deixá-la se mudar para cá. Você não pode mudar de ideia só porque ela está passando por um momento difícil. O que você vai fazer quando a Emma passar por isso? Mandá-la para a casa da Chloe também?

Mulher: Não seja ridículo. A Emma e a Lia são pessoas muito diferentes.

Marido: Ela comeu pizza com os amigos hoje à noite. Ela está bem. Você e a Chloe estão exagerando. Agora, a que horas a gente tem que acordar amanhã?

Cassie está esperando por mim lá em cima. Ela ouviu tudo.

Tento ignorá-la, mas toda vez que me viro, ela se materializa na minha frente. Vamos para o computador e descemos a página passando pelo coro.

***

Eu sou bulímica faz seis anos. Recentemente tentei
me recuperar ganhei muito peso agora estou voltando
e não consigo mais suportar o peso

***

***

O que todo mundo acha que é o mínimo de dias
para perder 11 quilos?

***

***

Tento manter minha ingestão de calorias sob 500.
Qualquer coisa a mais é inaceitável.

Mucho amor! Fiquem fortes <333

***

***

Eu sou tão nojenta, terrivelmente gorda.

Hoje corri por 2 horas e fiquei sem comer até a hora do jantar, quando comi como uma porca.

Às vezes eu acho que não tem porra de jeito mesmo.

***

***

Estou BEM aqui. Acho que finalmente estou ficando boa nisso!

Então, para quem estiver tendo problemas, um abração.

Você pode fazer o que quiser se tentar com vontade!

***

Quando a casa está dormindo, desligo a música e acendo uma vela. A Cassie está sentada na borda da janela e fica me olhando enquanto eu desenho três linhas com a lâmina de barbear, perfeitamente retas, no meu quadril direito.

Agora combina com o esquerdo.

[030.00]

No caminho para buscar Elijah na manhã de domingo, paro em uma loja para comprar um mapa e uma bússola. O GPS está na minha lista de Natal, e escrito à caneta. O que eu preciso mesmo é de uma bola de cristal, mas ninguém as vende por aqui.

Abro a caixa da bússola assim que volto para o carro. Está quebrada. Não importa como eu a seguro, a pequena agulha gira e gira sem parar.

Quero meu dinheiro de volta.

Elijah passa mais tempo falando de seus planos de dirigir para o Sul depois do Natal que me ajudando a achar o caminho. A gente se perde logo depois de sair do motel e perde tempo dirigindo em estradas que não estão no mapa. Quando finalmente paramos entre os grifos de pedra à entrada do Cemitério Mountain View, já estamos atrasados.

Um homem magro de casaco preto e comprido e chapéu preto de caubói aponta para um pequeno estacionamento. Meu carro é o terceiro ali.

Saio do carro pensando que deveria ter vestido uma calça de moletom porque tem cheiro de neve no ar. Seguro a barra do meu vestido e tremo. Esta garota quase ficou bonita hoje de manhã: cabelo limpo, maquiagem decente, brincos de prata antigos, um vestido de mangas curtas cinza aranha (tamanho 34) que flutua acima dos joelhos, e saltos altos de matar. Eu me esqueci de que fazia 1°C lá fora.

— Tem certeza de que estamos no lugar certo? — Elijah pergunta quando fechamos as portas.

O homem de chapéu vem andando na nossa direção.

— Se vocês correrem, podem chegar antes que a missa comece.

— Para onde? — pergunto.

— Lá em cima daquele morro — ele responde, apontando para uma estradinha íngreme. — O enterro dos Parrish é lá em cima. Vocês vão ter que ir andando. Todas as vagas de estacionamento lá estão ocupadas. Bom dia para vocês. — Ele se curva só um pouquinho e volta para seu lugar junto ao portão.

— Eu nunca vou chegar lá andando com isso aqui — eu digo, apontando para os meus sapatos. — Eu mal consigo andar até o banheiro com eles.

— Então por que você está usando esses sapatos? — pergunta Elijah. Ele está usando jeans escuros, botas de trabalho, a camiseta e a gravata do velório, e uma jaqueta camuflada. O brinco dele é um plugue preto sem furos.

— Porque eles são bonitos.

— Não são, não — ele diz. — Se eles te machucam, então são horrorosos. — Ele se inclina para frente e dobra os joelhos. — Vem — ele diz. — Sobe nas minhas costas.

— O quê?

— Eu te carrego até lá. Quer dizer, provavelmente isso vai me matar, mas pelo menos morro com estilo.

— Não precisa. — Abro o porta-malas do meu carro e fuço até achar um par de tênis velhos de cano alto, de um branco encardido e coberto de flores azuis desenhadas à caneta na aula de história. — Vou usar estes aqui.

Eu me sento no para-choque, tiro os sapatos de salto e coloco os tênis, que pelo cheiro parece que estavam cozinhando em um porta-malas cheio de lixo por mais ou menos um ano, mas que fazem meus dedos do pé felizes.

Eu me levanto.

— Chique, hein?

Elijah olha com atenção para os tênis, e então para o vestido, e percebe que estou tremendo. Ele tira a jaqueta e a passa para mim.

— Nem pense em dizer que não.

A jaqueta está cheia do calor do corpo dele e tem cheiro de gasolina e de garoto.

— Obrigada.

— Agora sim, você está bonita.

[031.00]

Eu não me sinto bem quando chegamos lá em cima. Os cortes frescos no meu quadril estão doendo e tenho certeza de que um deles se abriu e está sangrando. Cada passo em direção à Cassie me deixa mais gelada e fraca. Está afetando Elijah também. Ele anda de cabeça baixa e com as mãos enfiadas nos bolsos.

O topo do morro está coberto por centenas de besouros pretos reunidos para o banquete de carniça: o pessoal da escola, professores, os pais que sempre comparecem a tudo.

Os membros da turma do teatro estão agrupados em rodinhas de três e quatro. O time de futebol forma um bloco sólido, a maioria usando as jaquetas do time. Não vejo minha mãe em lugar nenhum.

— Você quer chegar perto? — pergunta Elijah em voz baixa.

— O mais perto possível.

Ele suspira.

— Tá. Venha comigo.

Atravessamos em meio à multidão em direção à tenda. Os pais e outros parentes da Cassie estão sentados lá dentro em cadeiras de plástico, ouvindo o pastor que está de pé com uma mão sobre o ombro do Sr. Parrish.

O caixão está coberto por um cobertor grosso de rosas cor-de-rosa pálidas. Está sobre um suporte de metal como uma assadeira de biscoitos esfriando sobre uma grelha. As fitas de grama falsa tinham que cobrir o suporte, mas o vento as tirou do lugar. Fico na ponta dos pés. Se nos aproximássemos mais, poderia ver o fundo da cova.

Os pais da Cassie conseguem ver. A boca da cova está a alguns centímetros de seus pés.

Uma pilha de terra em forma de colmeia aguarda atrás da tenda, esperando o fim da missa. Os coveiros vão jogar a terra na cova para impedir que Cassie flutue para a superfície e fuja.

As montanhas ao norte desapareceram sob uma tempestade de neve. Aqui o vento grita sobre as fileiras de lápides cor de trovão. Fecho os olhos.

O ratinho de estimação de Cassie, Pinky, morreu no verão antes do quarto ano. Ela chorou tanto que achei que a gente ia ter que chamar uma ambulância, ou pelo menos a mãe dela. Eu a ajudei a descer as escadas. A mãe dela tinha saído e o pai dela estava tomando conta da gente, mas assistindo ao jogo do Red Sox com os Yankees. Ele mandou Cassie parar de chorar. Ele ia jogar o cadáver no lixo depois do jogo.

Cassie aguentou firme até voltarmos para o quarto dela, mas então se jogou na cama e lamentou:

— Mas eu não quero jogá-lo no lixo.

— Não vamos — eu disse. — Vamos fazer um enterro decente para ele.

Usei uma espátula para tirar Pinky da gaiola e o coloquei sobre a bandana azul favorita da Cassie. Eu o enrolei como um burrito de rato e o amarrei com um barbante. Eu disse para Cassie que ela deveria levá-lo, mas ela quase teve um treco ao tocar a bandana. Coloquei luvas de tirar coisas do forno nas mãos e levei

Pinky para o jardim ao lado da casa. Cassie veio atrás de mim com uma pequena pá.

O lugar mais fácil de cavar era bem no meio do jardim de rosas da mãe dela. Nós nos revezamos para tirar as folhas e cavar um buraco entre duas roseiras, uma marcada como Tom Mordente, e a outra Quase Selvagem, cada plaquinha escrita à mão com uma caneta de caligrafia.

Eu inventei umas palavras em Latim e rezei quase um pai-nosso inteiro. Cassie completou com uns "oooooommmms", que ela tinha certeza de que era uma coisa chinesa. (Os pais dela a encorajavam a explorar outras culturas). Enquanto ela fazia "ooom", coloquei Pinky no buraco e o cobri de terra.

— Espero que um cachorro não desenterre o Pinky — eu disse.

Ela ficou com a cara amarrada.

— Espera aí.

Corri para o outro lado da rua e peguei no meu quarto um baldinho de plástico cheio de pedras que tinha catado na praia. Colocamos as pedrinhas sobre a cova, espalhamos folhas por cima e fizemos mais algumas preces. A gente se levantou de mãos dadas e olhos fechados, e jurou que nunca, nunca esqueceria nosso Pinky do coração. No verão depois daquele, a roseira Quase Selvagem da mãe dela ganhou o grande prêmio da Associação dos Cultivadores de Rosas de Manchester. O jornal deu uma matéria de página dupla e em cores sobre o jardim, *e os Parrish deram uma festa para comemorar.*

O pastor está à cabeceira do caixão e abre os braços para evocar os deuses. Ele agradece a presença de todos, e então começa a falar baixinho e é quase impossível ouvi-lo. Mais alguns atrasados se esforçam para chegar ao topo do morro, e o mais rapidamente possível para não serem vistos. Um deles é uma mulher alta de botas com um casaco comprido de pele de marta, o cabelo amarelo puxado para trás em uma trança perfeita de raiz, óculos escuros com grau de que ela não precisa porque as nuvens estão escuras e baixas.

Minha mãe.

Eu vou para trás de Elijah.

— Bloqueie o vento para mim, tá?

— O quê? — ele pergunta. — Claro.

Conto até dez, e então olho com cuidado por cima do ombro dele. Ela está de pé no canto da multidão, logo depois do time de futebol, fazendo que sim com a cabeça e dando um meio sorriso para as pessoas à sua volta. Um cara vai falar com o pastor e cochicha em seu ouvido, talvez explicando que ninguém consegue ouvir uma palavra que ele diz, pois está ventando forte.

O pastor faz que sim com a cabeça e grita:

— Rezemos!

Encosto a testa nas costas firmes de Elijah.

No dia do enterro da Vovó Marrigan, fui andando atrás da minha mãe pelo cemitério, a mão dela apontando para o chão e me dizendo para não tropeçar nas raízes expostas. Eu tinha 13 anos. Passamos sob carvalhos quase mortos, corvos com os olhos aguçados em seus galhos, e por anjos adolescentes congelados em mármore, teias de aranha envolvendo-os da cabeça até os ombros.

A Vovó estava esperando em seu caixão, ao lado de uma cova recém-cavada na parte de trás do cemitério, onde eles plantavam os novos mortos. Ela tinha escolhido o caixão, as músicas e as orações. Ela exigiu que as pessoas fizessem doações para a biblioteca em vez de mandar flores.

O pastor nos deu livrinhos para que seguíssemos a missa, mas não peguei um. Minha mãe chorou sem fazer cara feia porque a Vovó não gostava quando as pessoas davam showzinho em público. Eu fiquei tão impressionada ao ver as lágrimas descendo pelas bochechas dela que acabei perdendo boa parte da missa.

Os coveiros levantaram o caixão da minha avó como se estivesse cheio de penas. Quando eles o desceram para a cova, o vento soprou e as sombras-fantasmas se desdobraram e dobraram como borboletas no chão. As garotas de mármore sussurraram e as sombras-fantasmas *entraram em mim e se esconderam atrás das minhas costelas...*

***

Abro os olhos. O pastor ainda está citando a Bíblia. O rosto de Elijah está voltado para o céu, perfeitamente calmo. A Mira, da escola, está chorando, o braço do pai dela sobre seus ombros. Minha mãe está de cabeça baixa, os lábios se mexendo. Eu bem que queria saber para que ela está rezando.

A Sra. Parrish se apoia no marido. Ele está com a bochecha no topo da cabeça dela, os braços e mãos a segurando com força para que ela não pule lá dentro. As pétalas de rosas sobre o caixão flutuam ao vento. Algumas são arrancadas e sugadas diretamente para o céu.

O restante dos presentes treme enquanto a tempestade vem descendo do norte. Nuvens inquietas de fantasmas deixam rastros espirais de lápide em lápide.

— Amém! — o pastor grita em meio à ventania.

[032.00]

Game over.

O homem de preto avisa que estamos todos convidados para comparecer à casa da família para continuar celebrando a vida da Cassie e encontrar forças juntos para continuar. Quando os pais da Cassie saem da tenda, minha mãe se aproxima deles e diz alguma coisa. Os dois a abraçam, um por vez, e minha mãe dá um tapinha delicado nas costas do casal.

— Enterro é um saco — diz Elijah para mim. — Da próxima vez que a gente apostar, vamos jogar pôquer. Vamos?

— Ainda não — respondo. — Quero ver quando eles cobrirem o caixão.

Ele morde o lado de dentro da bochecha.

— Eu espero você no carro. Essa gente morta está me assustando.

— Lia! — o vento quase leva a voz dela para longe. Quase.

"Saco. Ela me viu."

Eu me escondo atrás de Elijah.

— Não se mexa. — Ele tenta se virar, mas o cutuco na costela. — Senão você vai ver.

— O que está acontecendo? — ele quer saber. — De quem você está se escondendo?

— Da minha mãe.

Ele começa a virar de novo.

— Por quê?

Eu agarro a camisa dele para que ele não saia andando.

— Não deixe que ela me veja.

Eu me aconchego nas costas dele, meu rosto atrás da cortina

do meu cabelo. Portas de carros abrem e fecham, os motores são acionados, pneus amassam as pedrinhas no chão.

— Mas por que não? — ele pergunta.

... *Na segunda vez em que fui internada,*

... na segunda vez em que me prenderam, eu fui má, má, má. Meus pais ficaram fulos da vida e então loucos, loucos, loucos. Filhas mortas e apodrecendo deixam um cheiro ruim que não sai, não importa o quanto a faxineira esfregue tudo. Meu pais jogavam a culpa um sobre o outro, jogando a Lia para cá, a Lia doente e faminta para lá, o que está acontecendo com ela, é tudo culpaculpaculpa sua.

Minha mãe queria mandar, queria ser a Dra. Marrigan, em vez da mãe da Lia doente. Não funcionou. Os médicos da clínica cavaram um fosso ao meu redor, e disseram que não, ela não ia conseguir nadar para atravessá-lo, e que ela tinha que esperar até ser convidada a cruzar a ponte suspensa. Depois disso, ela faltou a algumas sessões de terapia em família. Ela tentava se justificar, mas meus ouvidos estavam entupidos de pão, macarrão e milk-shakes.

Eu mancava ao lado das outras garotas-bonecas de pano. Uma tinha uma porta de plástico na barriga para que ela pudesse largar a comida ali sem ter que usar a boca. Quando ela ficava brava, vomitava a comida pela porta na barriga, a fechava com tudo e se trancava.

Eu tinha que raspar minhas pernas peludas na frente de uma enfermeira para não abrir uma veia acidentalmente. Quando eu me transformava em um rato cor-de-rosa e pelado, ela levava o barbeador embora. Eu me enrolava em uma caixa de fósforos forrada de serragem e cobria meu rosto com meu rabo gelado comprido como uma corda. Os psicólogos enfiavam o braço em seu saco de truques e arrancavam de lá comprimidos novos, meus docinhos malucos, azul bebê e cinza-hora-da-soneca.

Eles fizeram experimentos comigo por semanas. 40,3. 41. 42,1. 43. Eles entupiram a Lia-piñata com queijo derretido e migalhas de pão. 44,9. 46,7. 47,1. 47,6. 48. Eles me soltaram com 48,9 e um fichário vermelho-biscate com três espirais que continha todas as minhas lições: planos para refeições, consultas de acompanhamento, ~~encantamentos mágicos~~ afirmações para manter distância dos maus pensamentos.

Eu me recusei a voltar para a casa da minha mãe. Se eu era uma filha difícil mesmo, uma pedra no sapato, então encontraria outro lugar para morar. Ela tentou me convencer, mas recolhi a ponte suspensa, tranquei tudo com barras de ferro e coloquei guardas armados.

Os médicos entregaram para Jennifer e meu pai uma bolsa preta e escorregadia cheia de frascos de sementes malucas, pequenas castanholas, chacoalha, chacoalha, chacoalha.

Elijah estala os nós dos dedos.

— Mas por que você não quer ver a sua mãe?

— Você gosta dos seus pais? — pergunto.

— Amo a minha mãe. Meu pai me bateu até, e depois me chutou de casa.

— Ah! — digo. — Eu sinto muito.

— Espera aí — ele pede. — A gente precisa virar para a esquerda um pouquinho. — Ele se vira levemente para manter o corpo entre mim e os olhos da minha mãe.

— Obrigada. Ela está olhando para cá?

— Estava, mas então duas mulheres de guarda-chuvas foram

com tudo para cima dela. Agora elas estão dando porrada na cara dela com a bolsa. Por que você não quer ver a sua mãe? Ela queimou suas bonecas em uma fogueira de ritual de sacrifício? Leu seus e-mails?

— Ela quer mandar na minha vida — explico.

— Que vaca. Acho que ela pensa que é a sua mãe, ou alguma coisa assim.

— Ela é uma psicopata — confesso. — É complicado.

— Psicopatas não têm grana para comprar casaco de pele.

— Essa tem. O que ela está fazendo agora?

— A cabeça dela girou trezentos e sessenta graus e ela está vomitando sapos — ele diz.

— O que você... — olho por cima do ombro dele.

Ela está apenas a três túmulos de distância.

— Lia? — ela me chama.

— Lia? — Elijah repete.

Ele dá um passo para o lado e leva embora meu esconderijo. Piso sobre o túmulo mais próximo, Fanny Lott, 1881-1924, torcendo para a terra se abrir sob mim. E ela não se abre.

— O que você está fazendo aqui? — ~~Minha mãe~~ Dra. Marrigan pergunta.

— Hummm — respondo.

— O seu nome é Lia? — pergunta Elijah.

— Eu pensei que a gente tivesse combinado que você não viria — ela diz.

— Espera aí. — Elijah levanta a mão pedindo atenção. — Você é a Lia, a amiga para quem a Cassie estava tentando ligar. Por que você não atendeu ao telefone naquela noite?

A Dra. Marrigan faz raios X dele em um nanossegundo.

— Quem é este aqui?

— É o meu amigo, Elijah. Elijah, minha mãe. A Dra. Chloe Marrigan.

Ela fica entre nós dois.

— Com licença. Preciso falar com a minha filha.

Elijah tem um calafrio e tenta esconder sua reação.

— Por que você não me disse o seu nome verdadeiro?

Na lateral do caminho, os carros seguem em marcha lenta para começar a longa descida do morro.

— Desculpe — respondo. — Eu posso explicar.

— Você tem muita explicação para dar — diz a Dra. Marrigan.

— Não preciso, não, mãe — respondo, mal-educada. — A Dra. Parker disse que eu podia vir e, aliás, você não tem nada com isso. Você não tem mais nada a ver com as coisas que eu faço.

Elijah se assusta com as lâminas de barbear na minha voz.

A Dra. Marrigan abre a boca para dizer mais alguma coisa, mas um homem e uma mulher a chamam pelo nome. Eu não os reconheço, mas ela sabe quem são e me dá as costas para ir falar com eles.

— Beleza, então ela é bem intensa — diz Elijah, baixinho. — Não uma psicopata, só meio estranha.

— Ela odeia quando eu tenho minhas próprias ideias — digo.

Minha mãe está usando seu rosto de pessoa boazinha, boa para cumprimentar as pessoas na igreja e encontrar antigos pacientes no supermercado. Ela não me apresenta.

— Você se parece com ela — aponta Elijah. — A não ser pela cor do seu cabelo.

— Isso não é um elogio.

— Ela deixa você maluca, né? — ele pergunta.

— Ela tem esse dom.

— E você lida com isso fugindo?

— Funcionou para você.

Ele cruza os braços sobre o peito.

— Na verdade, não.

Eu deveria devolver a jaqueta para ele, mas vou congelar na hora e ela vai dizer alguma coisa terrível e eu vou me quebrar em pedacinhos minúsculos.

Elijah descruza os braços e sopra os dedos.

— Mesmo que sua mãe seja louca, ela está tentando se aproximar de você. Você tem que respeitar isso.

— Isso não é tentar se aproximar, é sufocar.

O assistente do diretor do enterro está dobrando as fitas de grama falsa sob a tenda. Um homem usando uma jaqueta vermelha de caçador está dirigindo uma retroescavadeira pequena para a cova. O vento sopra o chapéu do assistente para longe e ele vai atrás.

Quando o casal vai embora, a Dra. Marrigan se volta para a gente de novo.

— Preciso ir para o hospital ver um paciente. Você vai estar lá em casa quando eu voltar, certo?

Elijah cutuca meu tênis com a bota dele.

— Isso — eu digo sem pensar. — Mas tenho que deixar Elijah em casa primeiro.

Ela pisca rápido, tentando recuperar o equilíbrio. Ela estava se preparando para uma briga e não teve nada disso.

— Tudo bem, então — ela diz, com cara de dúvida. — Vejo você lá. Dirija com cuidado.

— Tá.

Enquanto ela se afasta, o assistente que está sob a tenda pega um controle remoto pequeno e aperta um botão, mandando o caixão de Cassie para debaixo da terra.

[033.00]

Elijah e eu voltamos para o carro sem falar nada.

— Você está bravo comigo? — finalmente pergunto ao destravar o carro.

— Por causa dessa coisa do nome? — ele pergunta.

— Eu posso explicar... — começo.

Ele levanta as duas mãos para me interromper.

— A gente pode não falar nada por um tempo? — ele diz, baixinho. — Minha cabeça está um pouco cheia. Gente morta e pais nervosos não são uma boa combinação para mim. Preciso relaxar.

— Tá.

Dirijo em silêncio até chegarmos ao Gateway. Estaciono em frente ao quarto dele e devolvo a jaqueta.

— Muito obrigada por tudo o que você fez por mim hoje.

— Sem problemas. Valeu pela carona. — Ele pega a jaqueta, sai do carro, fecha a porta e sai andando.

Eu abro a janela.

— Espera. Quando a gente pode conversar de novo?

— Não sei. — Ele tira as chaves do bolso.

— Esqueci de perguntar para o meu pai sobre o ferro-velho — digo. — Eu te ligo quando descobrir onde fica.

— Valeu. — Ele desaparece na escuridão de seu quarto.

Não sei ao certo por que o humor dele mudou tanto. Talvez seja alguma coisa no ar dos cemitérios, que penetra na pele e a infecta. Talvez seja por isso que de repente estou me sentindo mal também. Uma onda de náusea me ataca com tudo pela minha barriga: tristebravamáconfusa, tudo me dá ânsia. Luto contra as imagens na minha cabeça: as rosas tremendo sobre o caixão dela, as lágrimas caindo no chão, nuvens de tristeza vindo em nossa direção na tempestade. Eu engasgo e tusso. Se eu tivesse comido alguma coisa hoje, a esta hora estaria aqui de volta à garganta.

Uma luz vermelha de aviso começa a brilhar ao lado do meu velocímetro. Fuço na minha bolsa para pegar o celular e ligar para o meu pai e perguntar se o motor vai explodir, mas não tenho mais telefone.

Ligo o aquecedor no "máximo" e enfio o nariz onde sai o ar quente. O ar tem cheiro de Cassie e me faz engasgar de novo.

~~Estou com fome preciso comer.~~

Odeio comer.

~~Preciso comer.~~

Odeio comer.

~~Preciso comer.~~

Adoro não comer.

A luz vermelha do óleo pisca *liga/desliga, liga/desliga, liga/desliga*. Coloco o carro em primeira e acelero.

[034.00]

A Avenida Briarwood é forrada de casas pré-fabricadas. Aqui não há calçada, nem varandas na frente das casas. Os gramados são treinados para rolarem silenciosamente da porta da frente até a rua, e cada lâmina de grama é aparada à mão de acordo com a altura regulamentada. Geralmente a rua está vazia e muito limpa.

Mas não hoje. Carros estão estacionados nos dois lados da rua, os pneus deixando marcas enlameadas nas extremidades dos gramados. Portas de metal batem, sistemas de segurança fazem "bipe", pessoas com casacos pretos e carrancas se dobram contra o vento e capengam até a casa que fica em frente à casa da minha mãe.

Elas estão lá para cumprir seu papel, mostrar seu respeito, pagar pelo preço de conhecer os pais de uma garota morta. Todos vão para a casa de Cassie.

Eu estaciono em frente à garagem da minha mãe.

O jardim de rosas da Sra. Parrish se espalhou pelas duas laterais da casa e tomou conta do jardim da frente também. As roseiras estão reduzidas a lanças cheias de espinhos no inverno, embrulhadas em sacos de juta, sonhos de verão de flores gordas lá no fundo, com as raízes.

A primeira vez que vi Cassie vomitar foi no jardim. Os pais dela estavam dando uma festa do Dia do Trabalho, a última antes do começo das aulas. Os adultos estavam falando alto, bêbados à beira da piscina, os casaizinhos do colégio tinham se recolhido para os sofás macios da casa à espera de porões vazios, e as criancinhas estavam dormindo. Não éramos mais crianças, já tínhamos 11 anos. Podíamos ficar acordadas até a hora que quiséssemos, contanto que não enchêssemos o saco dos nossos pais.

Atravessei a rua correndo para pegar um moletom. Quando voltei, Cassie tinha sumido. Eu a cacei por toda a parte, até encontrá-la nas sombras do jardim de rosas, longe das luzes e do barulho dos liquidificadores cheios de marguerita. Ela estava se esforçando para vomitar, o dedo enfiado na garganta. A maior parte do que ela tinha comido já estava espalhado pelas folhas:

um saquinho de batata frita, quase um potinho de patê de cebola inteiro, dois *brownies* e um pedaço de bolo de morango.

— Vou buscar a sua mãe — eu disse.

— Não! — ela me puxou e explicou em sussurros enrolados. Ela estava vomitando de propósito, para não engordar. Ela tinha começado a chorar porque tinha esperado demais e agora as calorias já estavam pingando dentro dela e a fazendo se sentir mal.

— Por que você comeu os *brownies* se não quer engordar? — meu corpinho de garota-duende perguntou.

— Porque eu estava com fome! — lágrimas escorriam por suas bochechas e rolaram para a sujeira em seu queixo.

Chutei umas folhas sobre o vômito e a levei de fininho para o banheiro para que ela pudesse lavar o cabelo. Limpei o vômito da blusa dela com o sabonete Dove da pia, morrendo de ânsia o tempo todo. Enquanto ela tomava banho, coloquei a blusa dela na secadora. Usei uma faca de manteiga para tirar o cheiro ruim do sabonete.

Mais tarde, enterradas em nossos sacos de dormir, ela me disse que todas as garotas no acampamento da turma de teatro dela também vomitavam. Quando perguntei por que, ela disse que era porque todas elas eram gordas-balofas-baleias e tinham que fazer alguma coisa. O acampamento ensinou à Cassie mais coisas que a escola.

No oitavo ano ela já era uma profissional, já sabendo pela cor do vomito, laranja-Doritos ou roxo-*blueberry*, quando tinha feito o trabalho direito. O dedo que ela mais gostava de enfiar na garganta estava coberto de arranhões que não saravam nunca. Ela dizia para a mãe que eram machucados do treino de futebol/lacrosse ou do ensaio da peça/construção do cenário. Ou que o cachorro a tinha mordido.

Cassie se transformou na montanha-russa do parque temático da escola. Eu era o cavalo do carrossel, congelado na mesma posição, *os olhos pintados abertos, a tinta descascando dos meus olhos...*

Eu deveria cavar perto das rosas Quase Selvagem e tirar os ossos de palitos de fósforo do Pinky de lá, ainda mornos na bandana azul. Deveria tricotá-los em uma blusa de lã ou colocá-los em uma fita para usar pendurada no pescoço. Se eu ainda tivesse o vidro do mar, o colocaria no colar, também. E, quando estivesse perdida, bastaria olhar através dele. Muito melhor que uma bússola maluca.

O tanque-vazio-de-gasolina aparece ao lado da luz vermelha piscante. Sem problemas.

~~Minha mãe~~ A Dra. Marrigan chega com o carro. Ela olha para mim através do vidro de sua janela e o vidro da minha quando a porta da garagem se abre. O nariz dela está vermelho e os olhos, inchados, como se ela estivesse chorando. Ela vira o rosto para não me olhar e entra na garagem.

Vou ficar no carro por alguns minutos, e então ir atrás dela.

[035.00]

Tenho certeza de que ela está me esperando na sala da frente, temperatura a 15°C, as anotações do discurso dela devidamente arrumadas com meus defeitos e erros listados por ordem de prioridade. Ela tem gráficos para provar que tudo que faço é errado, e que minha única esperança é permitir que eles insiram as células-tronco dela na minha medula para que ela possa criar uma nova versão de si mesma vestida na minha pele.

Mas, não. Ela não está na sala da frente.

Ela está me esperando na biblioteca, que as pessoas normais chamam de "sala de estar."

Não. Quilômetros de prateleiras sem pó, revistas sobre cardiologia empilhadas sobre a mesinha de centro. Nada da Dra. Marrigan.

Nem na cozinha.

Nem na esteira no porão. Nem no aparelho elíptico, nem levantando pesos ou fazendo abdominais.

— Mãe?

Os canos do portão chacoalham e o tanque de água quente começa a funcionar. Ela deve estar tomando banho.

Subo dois lances de escada e passo na ponta dos pés pelo chão encerado do quarto dela, viro a maçaneta bem devagaaaaaaar, e abro uma fresta da porta do banheiro dela. Uma onda de vapor goteja para o lado de fora, cheio dos soluços de uma mulher adulta se quebrando em pedaços do tamanho de uma garota.

Fecho a porta.

Quando ela desce as escadas uma hora depois, o café está na cafeteira, o suco de laranja, servido, e um lugar para ela arrumado à mesa com a porcelana de osso da Vovó Marrigan, a prataria antiga do baú gigante na sala de jantar, e um guardanapo de linho da cor de neve. Do jeito que ela gosta — preciso e arrumado. Assim mesmo.

As lágrimas foram embora com a água, mas o nariz dela ainda está vermelho. Ela olha ao redor na cozinha, confusa e sem equilíbrio de novo, porque não estou seguindo o roteiro.

Passo o copo de suco para ela. Enquanto ela dá um gole, quebro três ovos e ligo a boca do fogão sob a frigideira para derreter a manteiga.

Cada passo na cozinha é um teste. "Sou forte o bastante para pegar uma barra de manteiga. Sou forte o bastante para desembrulhar a manteiga, colocar um pedaço na frigideira, e olharouvirsentir o cheiro da manteiga derretendo." Lavo as pontas gordurosas dos meus dedos sem experimentá-las. Estou passando em todos os testes hoje com nota máxima.

— Quando você aprendeu a cozinhar? — pergunta minha mãe.

— A Jennifer me ensinou. A Emma adora omelete.

Ela sente o cheiro no ar.

— Tem alguma coisa no forno?

— Eu queria fazer *muffins* de cenoura com uva-passa. A Emma adora também. Mas não tinha cenoura, nem uva-passa, então fiz *muffins* de noz-moscada. — Eu bato os ovos. — Sua geladeira está meio vazia. Só tem cebola e espinafre para o seu omelete.

Ela estuda os vegetais picados sobre a tábua.

— Só espinafre.

Sirvo o café em uma xícara de porcelana e a passo para ela. Ela coloca a xícara sobre a mesa, então tira o telefone e o bipe do bolso do roupão e os alinha ao lado do garfo. Ela se senta na cadeira, os olhos sem prestar atenção em seu reflexo no prato vazio.

— Quem foi? — pergunto.

Ela olha para cima.

— Quem foi o quê?

Coloco os ovos lentamente na frigideira quente.

— Qual paciente morreu?

— Como você sabe que um paciente morreu?

Levanto a pele do omelete para deixar o restante do ovo líquido passar por baixo dela.

— Você só chora no chuveiro desse jeito quando perde um paciente.

A panela chia. O *timer* do forno apita.

Minha mãe desdobra o guardanapo sobre o colo. — Era uma assistente social que acolhia crianças abandonadas. Cardiomiopatia dilatada, muito avançada, e já tinha ficado no andar dos transplantes mais tempo que qualquer um. Dei um coração novo para ela no dia de Ação de Graças. O coração falhou hoje. Ela morreu antes que nós pudéssemos fazer qualquer coisa.

Enquanto ela conta, coloco o espinafre no omelete, salpico queijo por cima, dobro-o ao meio e o coloco no prato que tinha posto em frente a ela.

— Eu sinto muito.

— Obrigada. — Ela dá uma mordida, apesar de o omelete ter acabado de sair da frigideira, pelando. — Está muito gostoso. Espero que você faça um para você também. — Ela come automaticamente, mastiga sempre o mesmo número de vezes a cada garfada, com o mesmo número de segundos entre cada vez que engole, até que a omelete desaparece e o tanque de combustível dela está cheio.

Não estamos gritando uma com a outra. Não estamos procurando as facas mais afiadas para machucar uma à outra. Isso é bom. Dessa vez não tem rodeios. Jogo a pergunta na frigideira quente para ver o que acontece.

— A Cassie morreu como a sua paciente? — insisto em saber. — O coração dela falhou?

— Prefiro não falar sobre isso com você — responde minha mãe. — Não agora.

— Mas você viu o laudo da autópsia, não viu?

— Eu não acho que este seja o momento certo... — O bipe dela vibra sobre a mesa. — Saco. — Ela lê a mensagem, e aperta um número no telefone. — Aqui é a Dra. Marrigan.

Queimo as pontas dos dedos ao tirar os *muffins* do forno. ~~Eles querem pular para a minha boca. Não, eles querem primeiro rolar em manteiga e mel e então pular para a minha boca, um, dois, três, quatro. E então aquele sorvete de chocolate crocante e depois uns biscoitos de leite, uma lata de cobertura de chocolate e três sacos de pipoca.~~

A Dra. Marrigan dá ordens sobre remédios e soros e exames, e então termina a ligação.

— Os *muffins* estão prontos?

— Estão quentes ainda.

— Tudo bem.

Pego o prato sujo de omelete da mesa e coloco três *muffins* na frente dela.

— Você disse que ia explicar os resultados da autópsia para a Sra. Parrish.

— Já expliquei.

— Então o que aconteceu?

— Você não vai comer nada?

Coloco o prato sujo na pia.

— Não estou com fome.

Minha mãe descasca a forminha de papel do *muffin*.

— O que você comeu no almoço?

— Ainda não almocei.

— São quase duas horas. Coma um *muffin*.

— Não quero.

— E ovos. Proteína vai te fazer bem.

— Eu coloquei leite no meu cereal hoje cedo.

— Você precisa comer. — A Voz está de volta, dando ordens, exigindo obediência.

— Mãe...

O bipe vibra de novo, pulando pela mesa como uma abelha zangada.

— Que saco! — Ela faz a ligação. — Dra. Marrigan...

Coloco a frigideira e a assadeira de *muffin* na pia, ligo a água quente e coloco o sabão. O calor da cozinha deixa as janelas embaçadas.

A garota de verdade que eu era sai de mim e escuta o eco das vozes gritando coisas feias umas para as outras em todos os cômodos desta casa. Mãe *versus* pai. Pai *versus* mãe. Pai *versus* emprego da minha mãe. Mãe *versus* namoradas do meu pai. Paiemãe *versus* boletim da Lia, recitais da Lia, decisão da Lia de desistir de novo. Lia *versus* tudoetodomundo.

As vozes entraram pela boca desta garota quando ela não estava prestando atenção, como um inseto em uma noite de verão que se agarra à sua garganta depois que você percebeu que o engoliu. As vozes nadaram por dentro dela e se multiplicaram em ecos minúsculos e carbonizados que fizeram morada permanente dentro da casca de ovo de seu crânio.

::Estúpida/feia/estúpida/vaca/estúpida/gorda/
estúpida/criançona/estúpida/perdedora/estúpida/perdida::

— Eu falei "Lia, olha para mim!" — minha mãe grita, sacudindo meus ombros.

Pisco. Os pratos sumiram, mas minhas mãos ainda estão na pia. As bolhas desapareceram. A água está fria.

Minha mãe me ~~arrasta~~ guia até sua cadeira, um braço ao redor dos meus ombros, o outro se esticando para medir meu pulso. Ela se ajoelha na minha frente e me faz olhar para cima, para o lado e então diretamente para uma luz que sai brilhando de sua caneta.

— Aposto que sua taxa de açúcar no sangue está lá no pé — ela resmunga.

Três forminhas vazias de *muffin* estão dobradas em triângulos no prato dela. Um bloco de papel verde-claro está ao lado do prato, coberto pelas notas que tomou durante a ligação que atendeu enquanto eu estava na zumbilândia. O copo de suco e a xícara de café dela estão ambos vazios. A água na pia sugou o tempo da sala.

Perdi dez minutos, talvez quinze.

Ela me serve um copo de suco de laranja.

— Beba isso.

Se eu não tomar, é bem capaz de ela me jogar no chão, abrir minha boca com um pé-de-cabra e derramar o suco lá dentro. Ou me levar para o hospital e me colocar no soro intravenoso até eu inflar e ir bater lá no teto como um boneco inflável gigante da parada do dia de Ação de Graças.

Tomo o suco de laranja, empurrando-o para o meu estômago. Ela fica sentada, me encarando, enquanto as janelas se desembaçam e o ácido de bateria se derrama pelas minhas veias.

— Eu estou bem — digo. — Só estou triste por causa da Cassie.

Em vez de responder, ela se levanta, joga a frigideira com tudo sobre o fogão, acende uma boca, joga manteiga na frigideira, abre a porta da geladeira com tudo, tira de lá os ovos e o leite, quebra dois ovos na frigideira, joga leite sobre eles e bate tudo com um garfo.

— Eu não vou comer isso — digo.

Ela se curva sobre o fogão, mexendo, mexendo.

— Não consigo.

Sem reposta. Mexemexemexe.

— Você não pode me forçar. Tenho que me sentir segura com a comida.

— Essa é a coisa mais idiota que já ouvi. — Ela coloca os ovos mexidos em um prato limpo com dois *muffins*, atravessa a cozinha a passos largos e põe tudo na minha frente.

O suco de laranja é um vírus atacando minhas entranhas.

— Esquece.

Ela balança a cabeça.

— Você não está pensando direito. Você está com tontura. E mentiu para mim sobre o café da manhã.

— Tá, então eu me esqueci de tomar o café da manhã. Foi um dia difícil.

— Você está com uma aparência péssima. Quanto você está pesando?

— Jennifer é a nazista da balança — digo. — Pergunte para ela.

Ela cruza os braços sobre o peito.

— Quarenta e oito e meio na terça.

— Eu não acredito.

— Ela vai mostrar o caderninho para você.

— Você vai comer tudo que está nesse prato.

Dois ovos mexidos + leite + manteiga = 365 + (dois *muffins* = 450) = terror.

— Vou tentar.

Como um pedacinho do amarelo. O suco de laranja está queimando e abrindo um buraco na película que envolve meu estômago. Eu engulo amarelo e gordura, dou outra garfada e abro bem grande para o aviãozinho entrar no hangar.

Minha mãe se serve de outra xícara de café.

Coloco o garfo sobre o prato.

— Estou me sentindo mal. Não consigo.

— Você está doente. Quando comer como uma pessoa normal, vai se sentir melhor.

— Comer me faz me sentir pior.

— Coma um pedaço do *muffin*.

Descasco a forminha de papel bem devagar. Mas o que é que eu estava pensando, cozinhando para ela, tentando dar um beijinho no dodói da mamãe e fazer tudo ficar melhor? Corto o *muffin* no meio, e então uma das metades em quatro pedaços, e cada um deles em dois. Coloco um dos pedacinhos na boca. Uma bolha seca de farinha que se misturou à massa explode na minha língua.

Ela fica me assistindo mastigar e engolir. Ela fica de olho quando não dou outra mordida. *Um minuto, dois, três, quatro...*

Alguns anos atrás vi a restituição do imposto de renda da minha mãe e fiz as contas para saber quanto ela cobrava por hora. Eu tinha acabado de perder 12 dólares do tempo dela.

Empurro o prato para longe.

— Não consigo.

Em vez de explodir, ela respira fundo e empurra o prato de volta para mim.

— Vamos fazer um trato.

O suco de laranja está me dando dor de estômago.

— Como assim?

— Se você comer, explico como a Cassie morreu — ela diz.

— Você está brincando.

— E eu brinco com você sobre comida?

~~Estou com tanta fome~~ Tenho que permanecer forte, me dobrar, mas não quebrar.

— Um *muffin*.

— Dois *muffins*. Você precisa dos carboidratos.

— Um e os ovos.

Ela respira fundo de novo.

— Fechado.

Leva uma hora.
Ovos mexidos = 25 mordidas.
Um *muffin* = 16 mordidas.

[036.00]

Meu estômago de rato cor-de-rosa gosta de ser pequeno e vazio. Ele me odeia por me entupir com toda aquela comida. Eu me deito no sofá, me cubro com o cobertor elétrico e tento não me mexer.

Minha mãe se empoleira no sofá do outro lado da sala. Ela cobre as pernas com um cobertor leve, aquele que tricotei no Natal passado, cheio de pontos malfeitos e desenhos tortos.

— Você tem certeza de que quer ouvir isso?

— Não pode ser pior que aquilo que estou imaginando.

— A coisa foi feia.

— Ela estava drogada?

— Não, não tinha nada ilegal, mas ela estava tomando dois antidepressivos, um estabilizador de humor, e remédio para a úlcera. E vodca. Muita vodca.

— Envenenamento por álcool?

— Não. — Ela ajusta a almofada atrás das costas, mas não diz mais nada.

— Você prometeu — insisto. — Eu fiz o que você pediu. Você tem que me contar. Tudo.

— Tudo? — Ela respira fundo e entra em modo consulta médica. — A Cassie tinha problema no fígado, as glândulas salivarés estavam acabadas, e o estômago, distendido. — Minha mãe levanta o punho levemente fechado. — Um estômago saudável é mais ou menos deste tamanho. E consegue se esticar para segurar mais um quarto dessa medida. O da Cassie conseguia segurar três quartos a mais. Além disso, as paredes do estômago dela tinham se afinado e estavam mostrando sinais de princípio de necrose.

A última vez em que vi a Cassie foi logo antes do dia de Ação de Graças. Eu estava a caminho da biblioteca; ela estava colando pôsteres de um musical. O lado de fora dela estava limpo e colorido: jeans novos, um suéter bonitinho, uns brincos lindos. As bochechas pareciam com as de um esquilo e o cabelo, com palha. Ela não estava necrótica. Estava mascando chiclete. Seus olhos pareciam cansados, mas estamos no último ano do ensino médio. Todos os alunos do último ano têm olhos mortos.

Passei por ela e disse "oi", mas ela não me ouviu.

Esticando e vomitando e se entupindo e esvaziando, o balde chamado Cassie era *arrastado para o poço o tempo todo.*

— A Cassandra teve uma briga terrível com os pais dela na quinta, durante o jantar de Ação de Graças — conta minha mãe. — Ela se levantou para vomitar no meio da refeição. Cindy disse que até o Jerry pôde perceber que ela tinha retomado os velhos hábitos. Eles disseram que ela precisava ser internada. Ela se recusou. Já tinha 19 anos e eles não podiam forçá-la. Jerry perdeu a paciência e disse que não pagaria a universidade até que ela ficasse saudável de novo. Cassie saiu de casa. Ela ligou para Cindy dizendo que voltaria no sábado, e que estava na casa de uma amiga. Ela estava no motel. Ela bebeu, comeu muito e vomitou por dois dias.

— Então foi ataque cardíaco? Por que os eletrólitos dela estavam estranhos?

Minha mãe puxa o cobertor para o peito.

— Não, querida. O esôfago da Cassie se rompeu.

— Rompeu.

— O esôfago dela se rasgou. É a Síndrome de Boerhaave, geralmente observada em alcoólatras que provocam o vômito depois que bebem demais. Forçar o vômito por muitas vezes pode rasgar o esôfago. — Minha mãe olha para suas mãos. — Ela estava vomitando no vaso do motel quando a ruptura aconteceu. Ela também estava, como eu disse, muito, muito bêbada. Ela entrou em choque e morreu no banheiro.

Conto até dez, e então até cem. Minha mãe espera, de olho em mim. Inspirar. Expirar.

— Você tem alguma dúvida? — ela finalmente pergunta.

— Isso vai sair no jornal?

Minha mãe faz que não com a cabeça. — Duvido. Como não havia drogas envolvidas, provavelmente eles vão dizer que a morte foi resultado de uma doença pré-existente.

Na rua, as pessoas estão voltando para os seus carros, trancando as portas, e indo embora o mais rápido que podem. Se eu fosse a Sra. Parrish, não deixaria ninguém sair. Eu imploraria para que se mudassem para lá por alguns meses, ou pagaria estranhos para ocupar cada cômodo, comer minha comida, acabar com meus carpetes, para que a casa não ficasse tão vazia.

— Ela sentiu alguma coisa?

Minha mãe liga o abajur na mesa ao seu lado. A tempestade vem descendo das montanhas.

— Infelizmente acho que sim. Ela morreu cheia de medo e sozinha. É um jeito horrível de morrer.

Sou um iceberg flutuando em direção à ponta do mapa.

— Eu não acredito — digo. — Você está inventando tudo isso para me assustar.

— Não preciso inventar nada. Ela está morta, você foi ao enterro dela. Cindy vai te mostrar o laudo da autópsia, se você quiser.

— Não quero mais falar nada.

Minha mãe se inclina para frente.

— Você tem o direito de ficar nervosa com tudo isso. Na verdade, prefiro ver você nervosa do que fingindo que isso não te incomoda.

— Você não tem que se preocupar. — Eu me sento e começo a trançar meu cabelo. — Estou triste pela morte dela e muito triste por ela ter morrido desse jeito horrível, mas isso não vai acabar com a minha vida. Mesmo antes do verão passado a Cassie e eu já não estávamos mais próximas como quando a gente era criança.

Ouvimos o vento soprar.

— Cindy quer falar com você — revela minha mãe. — Ela me disse que você era a única pessoa que poderia ajudá-la a entender o porquê.

— O porquê?

Ela faz que sim com a cabeça. — Cassie tinha tudo: uma família que a amava, amigos, atividades. A mãe dela quer saber por que ela jogou tudo isso fora.

Por quê? Você quer saber por quê?

Entre em uma cama de bronzeamento artificial e fique fritando lá por dois ou três dias. Depois que a sua pele está coberta de bolhas e começa a descascar, role em sal grosso, e então coloque uma peça única que cubra o corpo todo, trançada com fibra de vidro e arame farpado. Por cima de tudo isso vão suas roupas normais, contanto que sejam justas.

Fume pólvora e vá para a escola para pular por dentro de aros, se sentar, pedir e fingir de morta quando mandam. Escute os sussurros que se enrolam na sua cabeça à noite, te chamando de feia e gorda e vaca e biscate e o pior de tudo: "uma decepção". Vomite e passe fome e se corte e beba porque você não quer sentir nada disso. Vomite e passe fome e se corte e beba porque você precisa de um anestésico, e funciona. Por um tempo. Mas então o anestésico vira veneno e a essas alturas é tarde demais porque você está seguindo essa estrada diretamente para a sua alma. Você está apodrecendo e não consegue parar.

Olhe no espelho e veja um fantasma. Escute cada batida do seu coração gritar que tudoabsolutamentetudo está errado com você.

"Por quê?" é a pergunta errada.

Pergunte "Por que não?".

***

O bipe vibra sobre a mesa da cozinha. Ela xinga, vê a mensagem e faz a ligação mágica.

— Dra. Marrigan.

Depois de ouvir o paciente, ela sai correndo da sala e sobe as escadas. Eu me deito de novo.

O cobertor finalmente se esquentou e eu me enterro debaixo dele. Minha barriguinha de rato choraminga porque ela forçou quase mil calorias para dentro de mim. Vou ter que ficar forte até o jantar de amanhã para compensar tudo isso.

Eu viajo...

— Lia, acorde. — Ela sacode meu ombro de novo. — Tenho que ir. O hospital. — Os olhos dela apontam para mim, mas ela está enxergando fitas de eletrocardiogramas e resultados de exames de sangue e a linha limpa e fina que ela vai cortar no peito do paciente em uma hora ou duas.

Eu me sento, tremendo, e pego o controle do cobertor.

— Isso aqui não está funcionando.

— Eu tirei da tomada para você não acabar se queimando. — Ela fecha o zíper do casaco e se inclina para beijar minha bochecha. — Sinto muito por ter que sair. — Ela beija o topo da minha cabeça. —Descanse um pouco.

Ela bate a porta na saída, mas não porque está brava. A Dra. Marrigan sempre bate as portas para garantir que elas estão bem fechadas.

[037.00]

A casa da minha mãe respira e come. A máquina de lavar louça passa por “enxaguar”, “desengordurar”, “lavagem normal”, “enxágue antibacteriano” e “secar”. O sistema de aquecimento filtra todo o ar através de pulmões eletrostáticos e exala tudo em silêncio. O tanque de água quente ferve. O compressor da geladeira chacoalha, depois faz “zummm” para manter tudo gelado.

Não faria a menor diferença se eu gritasse alto o bastante para quebrar todas as janelas. Tudo ainda funcionaria de acordo com o manual do proprietário e assegurado por um arquivo cheio de certificados de garantia.

Eu passo tremendo pelo chão e vou ao banheiro. Quando dou descarga, a água leva tudo embora. Antes de eu me arrastar para debaixo do cobertor, abro as cortinas e fico em frente à porta gelada de duas folhas que dão para o ~~que antigamente era o céu~~ quintal.

Quando meu pai foi embora, ela contratou paisagistas para transformar a horta em um jardim de flores perenes, algo com que ela não precisasse se preocupar, nem regar demais. A pilha de compostagem foi levada embora, a hortinha de ervas foi para o saco, e nossos pés de morango se transformaram em uma passarela. Uns caras vinham uma vez por semana para cortar a grama, aparar as plantas e capinar.

Acho que ela não contratou ninguém este ano. Deve ter virado uma selva em agosto e julho. Agora é uma floresta morta. A grama já chega à altura do joelho, e está marrom e morta, cheia de mato e galhos caídos. Os arbustos de flores perenes já foram estrangulados pelas trepadeiras secas. O toco do pé de bordo que costumava suportar minha casinha na árvore está apodrecendo. Parece até que ela nem sabe que tem um quintal.

... Minha casa na árvore foi nosso castelo até o verão em que tínhamos 12 anos.

A Vovó Marrigan vinha ficar comigo quando eu não estava na escola porque eu já era grande demais para ter babá, mas pequena demais para ficar sozinha. Toda manhã ela assava alguma coisa: pão de abobrinha, *cookies* de aveia ou torta de *blueberry*. Ela me ensinou a tricotar e a Cassie a fazer crochê, os novelos de lã sem fim enrolados em suas mãos de papel e dedos tortos.

Nós não queríamos ver uma velhinha fazendo bolo, nem tricotando. A gente queria mais era ir passear no shopping.

Queríamos ter 16 anos em um estalar de dedos para podermos dirigir e ter namorados perigosos. A casa na árvore já era pequena demais para garotas agitadas como nós, mas era tudo que tínhamos. A gente lia, jogava copas e Uno, fazia as unhas, e tomava picolés e comia sanduíches de queijo com mostarda até nossas blusas ficarem manchadas para sempre.

Foi naquele verão que finalmente cresci, depois de anos sendo a mais baixinha da turma. A puberdade me esticou em uma roda da tortura, até meus braços e pernas quase saírem das articulações e meu pescoço quase quebrar em dois. Esse corpo novo tinha cheiro de umidade. A minha bunda tremia, minhas coxas pareciam ter um quilômetro de largura na meia-calça, e um queixo duplo e macio apareceu do nada. Minha professora de balé beliscou esses centímetros a mais, tirou meu solo de mim, e me disse para parar de tomar sorvete de bordo com nozes. Passei de cisne elegante a patinho feio que não conseguia andar sem tropeçar nos próprios pés.

A Cassie dizia que balé era coisa de criança. Eu dizia que não estava nem aí, mas ligava, sim. Dois dias depois, ela foi para o acampamento da turma do teatro e fiquei sozinha.

Aquele foi o verão em que o livro mais famoso do meu pai foi publicado e ele saía no jornal o tempo todo e minha mãe descobriu sobre a namorada nova dele. Ele dormiu no sofá por algumas semanas, e então saiu de casa. Ele me disse que sempre me amaria, sob qualquer circunstância, alugou um apartamento de um quarto e foi embora. A Vovó Marrigan disse "foi tarde", porque ela nunca gostou do meu pai mesmo.

Minha mãe pediu o divórcio.

No consultório do psicólogo, meus pais juraram que sempre seríamos uma família por minha causa, e que tudo ficaria melhor agora. Chega de gritos e discussões. Ao destruir nossa família, na verdade eles a tornariam ainda mais forte. Naquela época eu já tinha percebido que aquilo não fazia sentido nenhum, mas a terapia em família chegou ao fim e meu pai ia levar a Jennifer para o altar.

O surto de crescimento rasgou meus órgãos internos em farrapos. A dor me acordou, gritando, quase toda noite. Minha mãe me obrigou a fazer exames para uns vinte tipos diferentes de câncer e consultas com especialistas que olharam as fotos em preto e branco das minhas entranhas e disseram que não havia nada de errado comigo. A dor passaria quando eu parasse de crescer.

Eles mentiram também. Tudo piorou.

A Vovó Marrigan foi lá para casa antes de as aulas começarem. Cassie voltou do acampamento com um sotaque britânico falso, um caso sério de hera venenosa, e três caixas de laxantes.

Mostrei a ela como andava fazendo cortes pequenos na pele para deixar a maldade e a dor escorrerem. No começo, eles eram curtos e rasos, como arranhões deixados por um gato desesperado que quer se esconder sob a varanda de casa. A dor dos cortes tinha um sabor diferente. E ajudava a não pensar sobre como *meu corpo, minha família e minha vida tinham sido roubados de mim, ajudava a não me importar...*

As entranhas de Cassandra Jane estouraram como um balão cor-de-rosa. Ninguém cantou para ela, nem a abraçou, nem a ajudou a recolher os pedaços. Ela morreu sozinha.

Não posso me permitir olhar através de qualquer janela que dê para a casa dela, porque só agora estou me ligando que ela nunca mais vai dormir lá, nunca mais vai bater a porta, nunca mais vai cantar no chuveiro enquanto lava o cabelo.

Vou para a sala da frente de olhos fechados, os pés se arrastando pelo chão. Não me deixo ver nada até estar longe daquelas janelas perigosas.

Meu estômago ainda está reclamando, então volto para debaixo do cobertor, que está ligado e no nível de temperatura "alto". A gordura dos ovos se mistura com a massa do *muffin* e o suco. Eles entram pelas minhas artérias, um riacho de imundície que quer se transformar em concreto. A qualquer momento agora meu coração pode simplesmente

parar.

[038.00]

Acordo mais confusa que o normal porque minha cama não está apontada para a direção certa, e na verdade não é uma cama, mas o sofá, o sofá da minha mãe, o sofá macio da casa da minha mãe. Estou coberta por uma colcha pesada feita pelas mulheres Marrigan, com retalhos de vestidos antigos e saias que sobreviveram a várias estações.

Não me lembro de ter caído no sono, nem de ter ficado com sono, nem de sono algum. Nem acordei quando minha mãe chegou em casa. Não sei se isso é bom ou ruim.

Cassie não me visitou na noite passada. Isso é bom. Talvez ela finalmente tenha conseguido dormir também.

O ar tem o cheiro de sempre: café e água sanitária.

— Mãe? — A palavra tem um gosto estranho.

— Aqui — ela responde sem forças.

Eu me enrolo na colcha e me arrasto pela casa. Parece que eu saí daqui há umas seis encarnações, e não há seis meses.

Depois que meu pai foi embora, ela trocou tudo: os móveis, os tapetes, refez a cozinha toda. Ela derrubou algumas paredes, rearranjou o espaço em cada andar, colocou janelas novas, e trocou as portas de lugar. Passamos dois anos tropeçando em carpinteiros e pedreiros e caras cobertos de pó que falavam muito palavrão. Quando acabou, ela ficou com uma casa novinha, sem nenhuma mancha da presença do meu pai.

Eu até esperava que ela fosse fazer a mesma coisa depois que fui embora, mas até onde eu saiba, apenas uma coisa mudou: todas as pinturas e mapas e fotos do Maine e dos avós dela, e as minhas vestida de bailarina, e a minha ainda bebê dormindo no ombro dela, foram tirados das paredes e colocados no chão. Eles deixaram fantasmas para trás, retângulos de cores vivas com suportes nus e pregos finos querendo sair do meio. O restante das paredes está desbotado.

A voz dela é filtrada pela porta fechada da biblioteca.

— Já saio em um minuto.

— Vou estar lá em cima.

Meu quarto está exatamente do jeito que o deixei quando eles me arrastaram para a New Seasons pela última vez, desde as marcas das minhas botas na porta do guarda-roupa aos cartões de aniversário rasgados no chão. Ela não mandou a faxineira entrar lá nem para arrumar a cama ou arrastá-la para o canto, nem para tirar o pó ou passar o aspirador.

O batente da porta ainda tem as marcas de lápis que mediam o quanto eu crescia todo ano depois que nos mudamos para cá, até eu entrar no ensino médio. Ali estava a única coisa diferente: o batente tinha recebido uma camada de verniz, para evitar que as linhas e as datas pudessem ser apagadas acidentalmente.

— Lia? Café da manhã.

— Estou indo.

Quando chego à cozinha, ela está se servindo de uma tigela de granola. O balcão está lotado de comida: caixas de cereal, pacotinhos de aveia, pães, bananas, a caixa de ovos, iogurte, sacos de pãezinhos e sonhos. Ela foi fazer compras enquanto eu estava dormindo.

Olhamos uma para a outra sobre toda aquela comida. Nenhuma diz nada, mas o velho roteiro está suspenso no ar:

vocêtemquecomer/nãoestoucomfome/comealgumacoisa/

paredemeforçar/meescute/medeixaempaz

Do outro lado da rua, a Sra. Parrish está andando por uma casa sem filha, uma cozinha sem Cassie.

~~Os sonhospãezinhos têm um cheiro delicioso e tem açúcar e eu sei que se provar~~ Eu tenho que comer um pouco de alguma coisa ou ela vai ficar louca e estou cansada demais para lidar com isso. Pego uma fatia de pão.

— Isso aqui não tem xarope de milho com alto teor de frutose, tem? — quero saber.

— É claro que não — ela responde, derramando leite de soja em sua tigela. Os olhos dela se arregalam um pouco quando pego uma fatia (77) e a coloco na torradeira.

— Sobrou geleia de morango da Vovó?

— Tive que jogar fora. Não dava para confiar nas tampas depois de todos esses anos. Comprei mel e geleia de ameixa.

Se eu comer a torrada pura, ela vai ficar maluca. — Vou comer com mel, então.

Quando o pão está torrado, passo uma camada microscópica de mel (30) sobre ele e me sirvo de uma xícara de café. Ela finge não ouvir nem assistir enquanto mastigo meu café da manhã. Finjo que não percebo que ela está fingindo.

— Por que as fotos estão no chão? — pergunto.

— Quero pintar a sala, mas não consigo decidir a cor — ela diz. — Faz meses, já. Eu deveria pendurar tudo na parede de novo.

Não temos mais assunto. Graças a Deus pelo jornal.

Depois de lavar a louça, tomo banho e escovo os dentes, e não deixo meus olhos fugirem para o espelho. Eu me visto o mais lentamente possível e rezo por um desastre natural que faça com que todos os médicos passem o resto do dia no hospital.

— Lia? — ela me chama. — Você não vai descer?

Ela está esperando na sala de estar. Quando entro, com o cabelo molhado pingando nas minhas costas, ela afofa a almofada ao seu lado, e só uma vez, como se não tivesse certeza se quer que eu me sente lá ou não. Eu me sento no outro sofá, o do cobertor elétrico.

— Então — ela diz. — O que você quer fazer?

— Não sei. O que você quer fazer?

— A gente pode conversar.

Eu deveria ter voltado para a cama.

— Tá.

— Como estão as coisas na escola?

— É um saco.

Ela se inclina para frente para alisar as revistas de medicina sobre a mesa entre nós.

— Você já fez sua inscrição para a faculdade? Já foi dar um passeio por lá para conhecer?

— Não preciso fazer um tour. Eu conheço aquele lugar desde bebê.

— Mas pode te dar um pouco mais de perspectiva. Você poderia conhecer a pessoa responsável pelos passeios, fazer amigos novos. Pode ajudar sua motivação.

E assim começa.

Jogo o cobertor de lado e me levanto.

— Isso é besteira. Você vai me passar um sermão e mandar em mim, eu vou responder gritando, tudo como sempre. A gente não consegue nem fingir que se dá bem. Estou indo embora.

Ela levanta as duas mãos.

— Espere. Desculpe. Sem sermão, prometo. Só mais alguns minutos, por favor?

Eu me sento e encaro meus pés.

— Quando você morava aqui — ela continua — e visitava seu pai nos fins de semana, o que você fazia com ele?

— A gente ia a livrarias e lia a maior parte do tempo. Às vezes ele me levava para jogar *squash*.

— Você gosta de jogar *squash*?

— Não. É um jogo horrível.

— Então por que você ia com ele?

— Ele ficava feliz. — Já fico aguardando o discurso dela sobre tudo que há de errado com o Professor Overbrook, que recite o catálogo das falhas e maus hábitos dele, os gestos irritantes, mas ela não diz nada. Ela olha fixamente para os meus pés também. Ela parece perdida.

Eu me sento de novo.

— A gente pode assistir à televisão?

— Boa ideia. — Ela pega o controle remoto e o aponta para a televisão. Assistimos ao Discovery Channel a manhã toda. É melhor que conversar, mas não tão bom quanto sair correndo pela porta da frente.

Ela não faz nenhum comentário sobre meu almoço de alface com pepino. Não falo nada quando ela desaparece em seu computador na maior parte da tarde.

A briga esquenta lentamente nas bocas de trás do fogão a tarde inteira, as bolhas subindo e estourando, os ingredientes indo para o fundo, e então retornando à superfície. Não ferve e derrama até o Sol se pôr.

Minha mãe decide que vamos jantar sushi. Decido que não vou com ela buscar a comida. Ela decide que vamos comer à mesa da sala de jantar, porque quando as coisas são formais ela fica no controle de tudo. Decido ler enquanto como. Ela decide que vou comer quatro sushis e quatro sashimis e uma tigela de macarrão udon e tempurá de camarão. Eu decido que não estou com fome. Tomo chá verde em uma xícara sem asa.

Ela não me força a comer, então sei que há alguma coisa errada. Ela esvazia seu prato antes de soltar a bomba.

— Quero que você volte a morar aqui.

— Não.

— Você progrediu bem morando com o seu pai por um tempo — ela continua —, mas pelo jeito esse progresso parou.

O chão se mexe sob a minha cadeira e trepadeiras crescem por entre as tábuas enceradas de carvalho. Não quero falar sobre isso, nem ouvi-la falar sobre isso.

Ela continua com o discurso. Devia estar ensaiando há dias.

— Não espero ser convidada para ir à terapia com você de novo. O que acontece lá fica entre você e a Dra. Parker. Mas acho que aqui seria um ambiente mais saudável para você agora.

Faço as trepadeiras crescerem pelas pernas da minha cadeira e as teço em uma espiral bem justa até que elas chegam ao teto. Mal posso ver minha mãe através dos espinhos. Eles bloqueiam a maior parte das palavras dela, e permitem que eu quase durma. Uma pergunta afiada me traz de volta.

— Que tal no próximo fim de semana?

— O quê?

— Para trazer suas coisas de volta para cá. No próximo fim de semana. Já desmarquei o plantão.

— Eu não vou voltar para cá.

Preciso de algo para distraí-la. Com muito custo estendo minha mão por entre as trepadeiras, pego um sushi e o enfio na boca, engolindo sem sentir o gosto. A única saída dessa situação é me fazer de normal.

— E uma semana sim, a outra não? — ela insiste.

— Não.

— Por que não?

— Porque eu não quero. Não preciso. Olha, eu estou comendo. Estou saudável. Estou normal. E é bem capaz que voltar para cá me faça regredir de novo. Eu morava aqui quando tudo começou. A casa da Cassie é do outro lado da rua.

Meu cérebro (NÃO!) e meu estômago (NÃO!) berram comigo (NÃO! NÃO! NÃO!), mas forço uma colherada de macarrão por entre os dentes e a engulo.

— E se a gente fizesse um teste por um tempo... uma semana? — ela sugere. — Você poderia passar o fim de ano aqui e então voltar para casa do seu pai quando as aulas começarem em janeiro.

— As férias inteiras?

A máscara dela cai e seus ombros se afundam.

— Você me odeia tanto assim? — ela pergunta com uma voz crua. — Você não pode passar nem uma semana das suas férias aqui?

O macarrão para a meio caminho na minha garganta. — A gente não consegue nem ficar na mesma sala por uma hora, mãe. O que a gente ia fazer uma semana inteira?

— Eu poderia te ensinar a jogar *bridge*.

— Prefiro aprender pôquer.

— Vou pedir para um estagiário me ensinar a jogar. Então você vem passar as férias aqui?

~~Não, nunca mais vou colocar os pés nesta casa de novo ela me assusta e me deixa triste e eu queria que você fosse uma mãe com olhos que funcionam bem mas não acho que você consegue.~~
— Claro.

Ela sorri.

— Obrigada, Lia. Já é um começo.

Os olhos dela ficam marejados de lágrimas e não consigo mais ficar na sala.

Eu me levanto.

— Posso usar seu computador? Tenho lição de casa.

— Claro. A senha é…

— "Lia". Eu me lembro.

***

Passo quinze minutos procurando o nome da Cassie no Google e verificando os sites locais de notícias para ver se saiu mais alguma coisa sobre ela. Não há mais nada.

Meus dedos atravessam a tela e vasculham por entre o lixo até encontrar a casa do coral de gritos, as garotas famintas que cantam hinos sem fim enquanto nossas gargantas sangram e se enferrujam e se enchem de solidão. Eu poderia passar o mouse por todas essas músicas pelo resto da vida e nunca encontrar o começo.

***

preciso de inspiração

***

***

preciso de uma amiga para trocar mensagens no celular amanhã, quando estiver em jejum. Por favor, me ajudem!

***

***

Boa sorte hoje, lindinhas, vocês são fortes e vão fazer de hoje um dia incrível

***

***

é, estou me sentindo tão nojenta agora... só comi uma tigela de cereal hoje, o que é bom

***

***

Se eu comer isso vou ter que correr para me livrar de tudo,
mas estou cansada demais para correr.
já se sentiu assim?

***

Os blogues e salas de bate-papo estão sempre cheias do zum-zum-zum de asas pequeninas, moscas se batendo contra a parte de dentro do monitor, sem saber por que tentam escapar. Isso nunca vai mudar.

Digito o endereço do blogue secreto da Cassie. Ela parou de postar depois de entrar em pânico no ano passado, mas nunca o deletou. Fico pensando se ela ficava olhando fixamente para essa página tanto quanto eu.

A luz da internet passa através de mim como se eu fosse um saco de papel, balança uma varinha mágica e "flash", as fotos de duas garotas

"flash" acenando de uma casa na árvore, os lábios roxos dos picolés de uva

"flash" usando maiôs idênticos

"flash" *férias de Natal do oitavo ano em Killington*, o Natal em que meu pai viajou de lua de mel, o Natal em que minha mãe colocou assoalho de madeira na casa toda, o Natal em que me recusei a ir com ela visitar um hospital novo na Costa Rica, o Natal em que os Parrish ficaram com pena de mim e colocaram minha mala no porta-malas na viagem para Vermont. Levei uma mochila cheia de livros de Tamora Pierce, uma faca pequena, e vodca que roubei do armário de bebidas da minha mãe.

Nós esquiamos por uma semana e um dia. Cassie e eu estávamos no oitavo ano, mas nos sentíamos com 25 anos, adultas com nossos passes para o teleférico e praticamente nosso próprio apartamento, uma minissuíte que os pais dela alugavam em um condomínio. A gente paquerava os garotos que trabalhavam no teleférico e fingia que eles nos paqueravam também. Ficávamos obcecadas com a decisão de qual maiô usar na *jacuzzi* e anotávamos as calorias de cada migalha de comida.

"flash" nós duas tirando a nossa própria foto, com as bochechas chupadas para dentro

"flash" nós duas comparando o tamanho das nossas bundas

Para a véspera de Ano-Novo, os pais dela nos deram uma

garrafa de champanhe sem álcool. Depois que eles saíram para a festa em um hotel ("Não deixem ninguém entrar, garotas. Estamos confiando em vocês"), Cassie misturou tudo com a vodca. Comemos *cookies* caseiros de gengibre e mel e bebemos até a cabeça sair flutuando pela porta, e escada abaixo, para a noite congelada.

A unha de uma Lua nova nos viu sair tropeçando pela neve no morrinho para crianças aprenderem a esquiar, atrás do condomínio. Fizemos anjos na neve e tentamos soprar argolas de fumacinha com nossa respiração quente. Cassie ficou de quatro como um lobo e uivou para a Lua, os olhos brilhando. Meu lobo não foi tão bom. Eu não conseguia parar de rir. Ela uivou mais alto e de um jeito mais selvagem, tentando atrair os lobos de verdade da floresta, ou pelo menos os operadores do teleférico de esqui, até que alguém abriu uma janela e a mandou calar a boca. Caímos na neve, dando risada. Fogos de artifício estouravam lá no alto. Sinos tocavam. Estranhos gritavam juntos em uma só voz porque era Ano-Novo e todo mundo tinha a chance de começar de novo.

— A gente tem que fazer promessas de ano novo — sugeri. — Prometo ler um livro por dia o ano inteiro.

— Que idiotice — Cassie respondeu. — Você já faz isso.

— Então qual é a sua?

Ela pensou sobre o assunto.

— Fazer promessa é brega. Quero fazer é um juramento.

— Juro que vou voltar lá para dentro porque minha bunda já está congelada.

— Não, escuta. — Ela se sentou e agarrou meus braços. — É meia-noite, é uma hora mágica. Qualquer coisa que a gente jurar fazer esta noite vai se tornar realidade.

Essa era a Cassie do terceiro-quarto-quinto-ano, a garota que era forte bastante para socar os moleques, e louca o bastante para vomitar em roseiras. E eu a teria seguido mesmo que ela se jogasse em uma fogueira.

Nós nos ajoelhamos.

— Juro que sempre vou fazer exatamente o que quiser. — Ela ofereceu suas mãos à Lua. — Eu vou ser feliz e rica e magra e linda. Tão linda que os garotos vão implorar.

Caí na risada de novo.

— Pare com isso — ela disse por entre os dentes. — É a sua vez. Pense antes de abrir a boca.

Eu jamais seria popular. Mas não queria também; eu gostava de ser tímida. Eu jamais seria a mais inteligente ou a mais linda ou a mais feliz. No oitavo ano a gente já começa a sacar os próprios limites. Mas tinha uma coisa em que eu era muito boa.

Tirei a faca do bolso e cortei a palma da mão, só um pouquinho.

— Juro que vou ser a garota mais magra da escola, mais magra que você.

Cassie arregalou os olhos quando o sangue fez uma poça na minha mão. Ela pegou a faca e cortou a mão também.

— Aposto que vou ser mais magra que você.

— Não, eu não quero apostar nada. Vamos ser as mais magras, juntas.

— Tá, mas eu vou ser mais magra.

Nós esfregamos as mãos e misturamos nosso sangue porque era proibido e perigoso. As estrelas giravam sobre nós e os fogos queimavam. A Lua ficou de guarda enquanto *as gotas de sangue caíam, sementes descuidadas que chiavam quentes sobre a neve.*

"flash" primeiro dia de aula no nono ano, cortes de cabelo ridículos "flash" primeiro ano do ensino médio, fotos do baile de formatura com os alunos insuportáveis do terceiro ano

"flash" ano passado, festa do elenco, Cassie, mais bêbada que eles achavam, eu assistindo a tudo de um canto.

Minha mãe bate de leve e abre a porta.

— Está ficando tarde. Eu troquei os lençóis da sua cama, se você quiser ficar aqui hoje à noite.

Mantenho meus olhos grudados na tela, os dedos gritando pelas teclas para deletarem minha história. Ela não consegue ver o que estou fazendo. Ela vai até a janela e abre a cortina.

— Ah, não — ela diz. — Isso não é bom.

Desligo o computador e vou com ela. Do outro lado da rua, a Sra. Parrish está sentada na guia, o corpo balançando para frente e para trás, os braços enroscados ao redor do corpo, usando uma camisola fina e pantufas velhas nos pés.

— Vou cuidar dela — minha mãe diz. — Você deveria ir para a cama.

— Preciso voltar para a casa do papai — respondo. — Não estava planejando dormir aqui duas noites. As minhas coisas de escola estão lá.

Minha mãe sai primeiro, enquanto arrumo minha mala. Limpo a cozinha e ligo a máquina de lavar louça. Antes que eu consiga escapar, uma faca com cabo de osso do baú de prataria chique da Vovó Marrigan entra sem querer na minha bolsa.

Meu carro não morre até eu estacionar na entrada da garagem da casa da Jennifer.

[039.00]

Dirigir com luzinhas vermelhas piscando no painel fundiu o motor do meu carro. Motores que não funcionam são uma coisa ruim-que-deixa-meu-pai-louco-da-vida. Eu sou desligada/irresponsável/simplesmente idiota às vezes. Quando ele grita comigo, uma veia acima de sua sobrancelha esquerda fica saltada e treme. O rugido de trovão dele faz Emma sair correndo para o quarto, com Kora e o Pluto atrás dela. Jennifer tenta contornar a situação convidando meu pai para ir dar uma volta com ela, mas ele grita com ela também e berra comigo por mais meia hora.

Quero falar para ele que é só uma porcaria de carro, mas pedaços de mim estão espalhados por toda a cidade: no cemitério, na escola, no quarto da Cassie, no motel, e de pé em frente à pia na cozinha da minha mãe. É preciso muita energia para reunir todos esses cacos, então eu só fico sentada ali e o assisto implodir. Ele não pode mais me castigar. O que ele vai fazer?

Mandar eu ficar no meu quarto? Tirar o celular de mim?

Agora tenho que ir para a escola de ônibus.

A temporada de futebol da Emma acaba e a de basquete começa. Treino com ela na entrada da garagem. Ela consegue driblar três vezes antes de arremessar. Meu trabalho é ir buscar a bola.

Ela fala sem parar, nem mesmo para respirar: as crianças na classe dela, o tique nervoso do olho da professora, os palitinhos de peixe frito no refeitório, o cheiro do banheiro, ensaios para o Concerto de Inverno. Ela quer aprender a esquiar, patinar no gelo e a andar de *snowboard*. Andar de motoneve também parece bem legal. Ela quer que eu convença meu pai a comprar uma para nós.

Ela pergunta se eu acredito no Papai Noel e se ele é primo de Jesus, porque ela acha que eles são parentes, mas com certeza não se parecem. Quando os dentes dela começam a tremer por causa do frio, faço um chocolate quente caseiro. Sou tão forte que nem um único grão de açúcar aterrissa na minha língua.

Preciso gravar a voz dela falando pelos cotovelos para escutar quando ela não estiver por perto.

***

A Sra. Parrish deixa uma mensagem para mim no telefone de casa todos os dias por duas semanas. Ela quer/precisa/exige/implora/pede/merece/daria qualquer coisa para falar comigo. Por dez minutos. É importante/vital/crítico/imperativo/necessário/essencial/crucial que eu ligue para ela de volta. Uma vez ela diz que minha mãe deveria ir lá também. Na próxima ela diz para deixar minha mãe para lá, contanto que eu retorne a ligação.

O pessoal da escola anda dizendo que a Cassie morreu de overdose de heroína. Não sei se deveria contar a verdade. É melhor ficar conhecida como a garota que morreu com uma agulha no braço, ou como a garota que se quebrou porque vomitou com força demais?

A equipe do anuário está numa briga enorme para decidir quanto espaço deveria reservar para o memorial dela. As pessoas que a conheciam acham que deveria ser uma página inteira. Aquelas que acreditam nos boatos sobre a sua morte acham que meia página no máximo ou talvez que os pais dela devessem comprar um quarto de página nos anúncios para que a foto de Cassie pudesse ficar ao lado da loja de material para construção, da agência de seguros e da floricultura.

Deixo uma mensagem para Elijah todos os dias, por duas semanas. Digo que encontrei o ferro-velho, mas ele não me liga de volta. Aposto que ele descobriu como sou lesada, o que é ruim porque preciso dele para me contar mais sobre o último dia de Cassie. Ele pode me ajudar a descobrir como fazer com que ela vá embora.

Ela ainda não foi embora. Por incrível que pareça, ser enterrada só a deixou mais forte e mais brava.

Cassie abre sua caixa de Pandora toda noite e pega uma carona para o meu quarto. Ela não me observa das sombras, não mais. Ela ataca. Depois que os comprimidos para dormir atam meus braços e minhas pernas ao colchão, ela abre meu crânio e arranca os fios de lá. Grita, fazendo buracos no meu cérebro, e vomita sangue na minha garganta.

É mais fácil não tomar o comprimido, esperar até que Jennifer e meu pai comecem a roncar, e passar três ou quatro horas na máquina de step. Quando finalmente me arrasto para a cama, meu travesseiro está com cheiro de açúcar queimado e cravos e gengibre.

Estou pesando 44,45.

Estou pesando 43,99.

Afio a faca bonita da Vovó Marrigan e a escondo debaixo do colchão, pois nunca se sabe. Estou pesando 43,77. Em algumas noites não durmo nada. Depois de malhar, faço tricô, ponto por ponto, com música nos meus fones de ouvido, balançando para frente e para trás. Começou como um cachecol no ano passado, mas então tomou asas quando eu não estava prestando atenção e exigiu ser chamado de xale, e assim o chamei, e então, enquanto estava enterrado na cesta, se multiplicou e virou um cobertor de cem cores e mil histórias. Não uso a lã nova que se compra em lojas. Compro blusas velhas de lojas de segunda mão, quanto mais antigas melhor, e as desfio. Há países de mulheres nesse cachecol/

xale/cobertor. Logo ele ficará grande o bastante para me aquecer.

Minha boca, minha língua e minha barriga começaram a armar contra mim. Caio no sono em meu quarto e "puf!". Estou em frente à geladeira, com a porta aberta, a mão tentando alcançar o queijo cremoso. Ou a manteiga. Ou as sobras da lasanha.

"Só uma mordida", a luz branca dentro da geladeira me diz. "Uma colher de sopa, uma colher de chá. Esquente um prato de lasanha, devagar, na potência de 40% do micro-ondas, e então a coloque no forno, na grelha de cima, a 200 graus até o queijo borbulhar e dourar em volta. Sente-se com o garfo banhado à prata da Jennifer e a faca com cabo de osso e entalhe um pedaço de um centímetro. Tome um comprimido para fazer o tempo se arrastar — você vai querer gostar disso. Encha a boca com queijo derretido e linguiça e molho de tomate — molho de tomate do verão/de minissaia/dançando — e um tijolo de massa mais grosso que a sua língua. Engula. Acenda as estrelas no seu cérebro, eletrifique seu corpo, afivele um sorriso no rosto e todo mundo vai te amar de novo."

Se eu achava que conseguiria parar depois de um bocado, ou dois no máximo, eu faria isso. Mas estou pesando 43,54, próxima da perigolândia. Uma garfada de lasanha poderia causar uma revolução. Uma garfada, dez garfadas, a assadeira inteira se enfiaria garganta abaixo. E então eu comeria biscoitos Oreo. E então eu comeria sorvete de baunilha. E Blueberryqualquercoisa, o resto da caixa. E então, prestes a explodir, com meu estômago quase se rasgando e a comida toda se espalhando na minha cavidade corporal, o sangue me inundando, eu teria que ir até a caixa secreta no meu guarda-roupa e tirar de lá os laxantes e morrer de humilhação no banheiro.

Eu tiro de lá um vidro de pepinos em conserva. Um pepino, com endro kosher = 5. Kora e Pluto me seguem até o quarto. Verifico a caixa secreta — laxantes e diuréticos de emergência —, pois nunca se sabe. Faz meses que não tomo isso. Ainda bem que olhei, porque os estoques estão quase vazios. Preciso me lembrar disso.

Quando me deito na cama, os gatos pulam sobre mim. Eles se aninham nos meus lugares ocos e ronronam tão alto que o som ecoa nos meus ossos.

[040.00]

Não. Devo. Comer. Não. Devo. Comer.

Não. Devo. Comer. Não. Devo. Comer.

Não. Devo. Comer. Não. Devo. Comer.

[041.00]

Meu pai anda reclamando de ter que comprar uma árvore de Natal. Jennifer consegue uma com um cara sem dentes que está vendendo pinheiros da caçamba de sua picape. O cara leva a árvore para casa, mas não a prende no suporte no chão até que Jennifer desembolse mais cinquenta dólares. Quando meu pai traz Emma para casa depois do treino de basquete, ela grita tão alto que metade dos galhos cai no chão.

O basquete está indo melhor que o futebol. O banco de Jennifer patrocina o time e ela disse ao técnico que, se Emma não jogar o bastante, ela tira o patrocínio e leva os uniformes embora. Emma não sabe disso. Ela acha que é pivô porque é tão forte.

Estou indo bem: metade de um pãozinho médio (75) pela manhã, uma maçã (82) no almoço e o que sou obrigada a comer no jantar (500-600) para ninguém me encher o saco. ~~Minha mãe~~ A Dra. Marrigan manda um e-mail para o meu pai dizendo que a partir de agora estará no hospital até o Natal, mas que depois disso, tem uma semana de folga e eu concordei em ir ficar com ela. Ela também copia a Jennifer e a mim na mensagem. Quando a Jennifer me pergunta se vou mesmo, digo que ainda não decidi.

Agora que o inverno chegou (isso é oficial, porque tem uma árvore perdendo as folhas dos galhos na nossa sala de estar), fica mais fácil me esconder debaixo de camadas de *leggings* por baixo da calça e blusas de gola alta, moletons grossos e outros itens que me deixam acolchoada. Só não olhe para a garota atrás da cortina. Os joelhos dela são mais largos que suas coxas. Os cotovelos dela são mais largos que seus braços.

Jennifer está desconfiada da balança. Faço uma cirurgia no Gordômetro 3000, mexendo na balança até ela mostrar que peso 47,4. Jennifer suspira alto enquanto anota o número.

— Eu sinto muito — digo. — Vou tentar com mais vontade, eu prometo. Mas não fique brava comigo.

Jennifer informa o número novo ao meu pai. Eu deveria estar tomando banho, e não ouvindo a conversa deles do meio da escada.

— É, ela perdeu alguns quilos, mas quando você começar a fazer todas aquelas coisas gostosas de fim de ano, ela não vai conseguir resistir — ele diz.

— Se ela perder mais peso, vai ter que fazer um exame. Mesmo que a gente tenha que fazer chantagem com ela, como dizer que ela só pode ficar aqui se for ao médico.

— Não vai chegar a esse ponto. Por que você não faz um *cheesecake* neste fim de semana, com morangos por cima? Ela adorava essa sobremesa.

A adrenalina entra em ação com tudo quando você está morrendo de fome. É isso que ninguém entende. Exceto por sentir frio e fome, na maior parte do tempo sinto que sou capaz de fazer qualquer coisa. Isso me dá poderes super-humanos de olfato e audição. Consigo enxergar o que as pessoas estão pensando, e estou sempre à frente deles. Faço lição de casa o suficiente para ficar fora do radar. Toda noite eu subo mil degraus até o céu para ficar exausta e, assim, nem me dar conta de Cassie quando vou para a cama.

Então de repente já é de manhã e eu pulo na rodinha de hamster e começa tudo de novo.

Comer quinhentas calorias por dia está funcionando. Verdade = 42,63.

Outro objetivo de peso alcançado. Uhú.

Eu deveria ser um champanhe brilhante como um diamante estourando em direção às estrelas, mas o alto-falante entre meus ouvidos fica ligado, no volume máximo, com outro objetivo: 38,5. 38,5. 38,5.

Trinta e oito quilos e quinhentos gramas são a perigolândia. Trinta e oito quilos e quinhentos gramas são fogos de artifício do 4 de julho em uma caixa pequena de metal.

Na segunda vez em que ~~me prenderam~~ me internaram para o meu próprio bem, meu corpo inteiro, incluindo minha pele, meu cabelo e minhas unhas do pé azul bebê, e todos os meus dentes pesavam 38,5: 4,5 quilos de gordura e 34 quilos do resto. Coroas de gordura com cor de pus estavam sufocando minhas coxas e a minha barriga, mas não, eles não conseguiam enxergá-las. Eles disseram que meu cérebro estava encolhendo. Tempestades elétricas estavam dando relâmpagos dentro do meu crânio. Meu fígado cansado estava fazendo as malas. Meus rins, perdidos em uma tempestade de areia.

38,5 não era recheio suficiente para uma Lia garota de papel.

38,5 era pele que queria se deixar cair.

38,5 era pelo fofinho de macaco crescendo por todo o meu corpo para me manter aquecida.

Eles disseram que eu tinha que engordar.

Falei para eles que meu objetivo era 36,28 e, se eles quisessem meu respeito, então era melhor pararem de mentir para mim.

Quando meu cérebro começou a funcionar de novo, revisei as contas deles. Alguém cometeu um erro porque não adicionaram as serpentes na minha cabeça e as *sombras grossas se escondendo na jaula formada por minhas costelas.*

Trinta e oito quilos e quinhentos gramas são possíveis. Já estive lá antes, na perigolândia, um ar doce que te deixa bem louca com fumaça de gengibre, monstros escondidos debaixo das pontes.

Mas 38,5 me faz querer 34. Para chegar lá vou ter que abrir meus ossos com uma marreta de prata e escavar meu tutano com uma colher de cabo comprido.

[042.00]

Quando o semestre da faculdade chega ao fim, meu pai vai para Nova York para fazer pesquisa em uma sociedade histórica e fugir de todas as mulheres loucas de sua casa. Jennifer leva Emma a um jogo de basquete. Fico em casa para estudar. Queimo 858 calorias na máquina de step, e sai fumaça das minhas pernas. Meu cabelo está pegando fogo.

Quando elas voltam, já cobri a sala de estar com fichas de estudo e livros de escola abertos. Elas não se dão conta, porque Emma está com dor e Jennifer está prestes a ter uma crise de nervos. Durante o aquecimento antes do jogo, minha irmã postiça tropeçou no cadarço, caiu na quadra e quebrou o braço direito. Elas passaram as últimas duas horas no pronto-socorro, e agora o braço está em um gesso rosa-choque, e o rímel de Jennifer está todo borrado.

Abraço o lado não machucado de Emma e beijo o topo de sua cabeça.

— Sei como é, Emminha. Acabei com o meu braço no primeiro ano quando meu pai tirou as rodinhas da bicicleta. Pedalei dois metros e caí. Eu bati no chão com tanta força que quebrei o concreto. Mas você vai ficar boa logo, não se preocupe.

— Isso é um pouco mais sério — anuncia Jennifer. — Ela fraturou a ulna e o rádio.

— Mas isso é que é um braço quebrado — digo, com todo o cuidado. — Uma fratura da ulna ou do rádio, ou dos dois. São os nomes técnicos para os ossos no seu antebraço. Você quer falar com a minha mãe sobre isso?

— Ela é cardiologista. O que ela sabe disso?

Abro a boca, mas decido que não vale a pena gastar essa energia.

— Tire tudo de cima do sofá, por favor — manda Jennifer, com a cara enfiada dentro da geladeira. — Ela precisa descansar com o braço elevado.

Faço um ninho para a Emma com cobertores e travesseiros macios e o Elefante, o Urso e o Caracol, o círculo interno de amigos de pelúcia. Enquanto Emma se deita, com o controle remoto na mão do braço bom, Jennifer me dá as chaves do carro e seu cartão de débito.

— Preciso que você vá à farmácia pegar um remédio; o médico acabou de ligar lá passando a receita — ela diz. — E traga uns picolés também, mas de suco de fruta, e não de xarope de milho.

— Não quero picolé, quero chocolate — reclama a vítima no sofá.

Não tenho certeza se peso o suficiente para apertar o acelerador. Estou pesando 42,4 e tenho um déficit de 1.500 calorias para o dia de hoje. Se eu acabar com outro carro, eles vão me trancar em algum lugar e jogar a chave fora.

— Hum... Estou com um pouco de enjoo. Acho que dirigir não é uma boa ideia.

Jennifer se estica para pegar um pote de vidro sobre o balcão, tira de lá um *cookie* de aveia e passas do tamanho da minha cabeça, e o empurra para mim.

— A gente pode tirar o foco principal de você por um minuto, Lia? Coloque um pouco de comida na boca, pare de reclamar e vá para a maldita farmácia.

Eu mastigo o *cookie* no banco do motorista, o carro ainda seguro em ponto morto. Esse *cookie* não tem calorias. Não é comida.

É combustível — gasolina e óleo para o motor não fundir. Forço um quarto do *cookie* garganta abaixo e coloco o carro em primeira.

O cara da farmácia diz que eles estão superocupados por causa de um vírus que está atacando o estômago de todo mundo, e que o remédio da Emma vai demorar mais uns dez ou quinze minutos para ficar pronto. A loja tem tantos enfeites de Natal que quase não sobra lugar para os sabonetes líquidos e as pastilhas para garganta. A música toca um pouco alto demais. Pelo jeito eles também conseguiram trazer para cá o cheiro de *cookies* de gengibre.

Não consigo achar os laxantes e diuréticos. Eles mudaram tudo de lugar. O Corredor 4 é a Brinquedolândia do Papai Noel. O Corredor 3 tem uma montanha de neve no chão. De neve de verdade.

Olho ao redor. Pessoas cansadas vagueiam em busca de pomada para hemorroida, analgésicos e enxaguante bucal. Duas senhoras passam direto pelo morrinho de neve no chão, mandando flocos pelo ar sem perceber. Os flocos não derretem no chão. É um tipo de propaganda bem cara para uma farmácia, mas vivem dizendo que a Amoskeag é a nova Boston. Acho que é disso que eles estavam falando.

Cassie entra no Corredor 3. A Cassie morta.

— Oi — ela diz. — Prateleira de baixo. É lá que você vai encontrá-los.

Ela está usando uma jaqueta cinza de esquiar sobre o vestido azul e o cabelo preso para trás em um rabo de cavalo molhado, como se tivesse acabado de sair do chuveiro. O cheiro de gengibre, cravo e açúcar queimado deixa o ar carregado.

— Você não está orgulhosa de mim por descobrir como te seguir? — A voz dela zune como se moscas mortas estivessem presas em sua garganta.

Eu me abaixo para alcançar a última prateleira. Ela tem razão. Pego duas caixas de diuréticos e três de laxantes. A qualquer segundo, ela vai desaparecer porque é uma alucinação.

Eu me levanto. Ela está tão perto de mim que eu poderia sentir sua respiração, se ela estivesse respirando.

— Vai embora — sussurro.

— Você está de brincadeira? — Ela chuta a neve, que invade o corredor, e olha ao redor da loja, abafando o som das músicas de Natal. Os flocos de neve ficam parados no ar, nem subindo, nem caindo.

— Você não pertence a este lugar — insisto. — Volte.

Ela faz uma cara feia, confusa. — Mas quero conversar com você. Fiz o maior esforço para descobrir como fazer isso, sabe? Não é fácil ficar indo e voltando.

Tapo minhas orelhas com as mãos. — Pare com isso.

As assombrações noturnas fazem sentido. À noite estou cansada, drogada, e sem nenhum açúcar no sangue. Mas no Corredor 3 da Drogaria Binney? A Jennifer deve ter colocado alguma coisa naquele *cookie*. Ela está tentando me deixar louca de pedra para se livrar de mim.

Cassie se apoia na prateleira. — Você deveria comprar água sanitária. Você precisa tirar aquela banana mofada da bolsa na parte de trás do guarda-roupa e limpar tudo. Está nojento.

— Você não está aqui. Não estou falando com você.

Ela deita a cabeça de lado. — Você quer dizer isso mesmo, não é? Você não acredita que está me vendo.

Tento andar e passar por ela, mas minhas botas estão congeladas na neve à deriva.

— O que tenho que fazer para você acreditar? — ela pergunta.

— Você não deveria estar no céu, ou algum lugar assim?

— É meio complicado.

— Você é uma criação da minha imaginação, ou uma alucinação causada pelos remédios ou por aquela porcaria de *cookie*. Você não existe.

Os olhos dela brilham como um interruptor quando é desligado, e então ligado de novo. — Isso me deixa muito triste.

— Minha irmã precisa do remédio. Tenho que ir.

A luz se transforma e ela fica um pouco apagada. Consigo ver o contorno das prateleiras atrás dela.

Ela encosta a boca no meu ouvido. — Você está quase lá, amiga. Fique firme.

Não consigo me mexer. Não consigo correr.

— Eu sei como você se sente mal. Presa — ela conta. — Mas tudo melhora, eu prometo. Melhora tanto.

Ela faz a cara que fazia quando implorava para que eu fosse ao parque com ela, para que ela não encontrasse acidentalmente de propósito o cara que estava paquerando. Eu deveria fechar os olhos até ela desaparecer. Mas não fecho.

— Do que você está falando? — pergunto.

Ela tira um floco de neve da minha bochecha.

— Você não está morta, mas também não está viva. Você é uma garota gelada, Lia-Lia, presa entre dois mundos. Você é um fantasma com um coração que bate. Logo você vai cruzar a fronteira e ficar comigo. Estou tão empolgada. Tenho tanta saudade.

Eu me afasto, e tento sacudir as teias de aranha da minha cabeça.

— Qual é o seu problema? Você não se importa com o que aconteceu?

Ela faz cara feia de novo. — Você não se importa que seus pais estejam no fundo do poço? Você não deveria ter feito isso.

Você deveria ter pedido ajuda.

A neve se agita ao redor dela e começa a girar em um rodamoinho que sobe até o teto.

— Eu tentei. — As chamas nos olhos dela queimam minhas bochechas. — Você não atendeu o celular.

[043.00]

Não aconteceu. Eu não a vi. Está tudo bem.

Bem. Bem. Bem. Bem. Bem.

Levo o remédio para Emma, tomo uma caneca de sopa de tomate com água (82) e finjo terminar minha lição de casa. Enquanto as duas assistem a um filme, encho a banheira de água escaldante, tiro a roupa e entro.

O carrossel está girando rápido demais. Quero descer. Quero fechar os olhos, ou só piscar. Quero escolher aquilo que vejo e aquilo que não vejo. A porcaria que a gente tem que aguentar quando está acordada todo dia — escola, casa, shopping, mundo — já é ruim. Não posso descansar nem quando estou dormindo? Ou, se estou fadada a ser assombrada por fantasmas, eles não poderiam trabalhar só à noite, e se dissolverem quando atingidos pela luz do Sol?

Tiro meu braço da água. É um tronco. Eu o coloco debaixo d'água e ele se incha e fica ainda maior. As pessoas veem o tronco e o chamam de vareta. Berram comigo porque eu não consigo ver o que elas veem. Ninguém consegue me explicar por que meus olhos funcionam de um jeito diferente. Ninguém consegue impedir isso.

O carrossel gira de novo. Para sair desse negócio vou ter que gritar. Mas não posso. Meu espartilho de ossos está amarrado, tão apertado que mal consigo respirar.

Quando Cassie se enfia na minha cama naquela noite e enrola as mãos ao redor da minha garganta, ela não cita o que não aconteceu na farmácia. Nem eu.

Meu coração toca como uma sirene de incêndio a noite toda.

[044.00]

O show deve continuar.

Não tem como uma criança com a ulna e o rádio fraturados tocar violino no Concerto de Inverno na Escola de Ensino Fundamental Park Street, então o diretor da banda arrumou um triângulo de metal que a Emma pode tocar no momento certo. Ela também é responsável pelos sinos do trenó em "Jingle Bells". Ela passa a noite de quinta treinando.

Saio mais cedo da escola (cólica — há!) e passo a tarde de sexta na cozinha porque a Emma inscreveu sua mãe para levar alguma coisa para a Feira do Bolo de Natal, e Jennifer saiu para comprar uns biscoitos baratos com cobertura verde e vermelha bem brega. Faço bonequinhas de gengibre, cada uma com um gesso cor-de-rosa no braço, e um pão de tâmaras e nozes da Vovó Marrigan. As colheres de medida querem enfiar açúcar e manteiga e melado na minha boca. Finjo ser alérgica aos ingredientes.

Se provar uma vez, meus lábios e minha língua vão inchar e vou morrer engasgada.

Uso as sobras dos biscoitos de gengibre para fazer um *cookie* vodu, uma garota fortinha com cabelo loiro-avermelhado, um vestido azul e um buraco gigante no lugar da boca. Depois que ela esfria, eu a coloco sobre a tábua de corte e a amasso com um rolo de macarrão até ela virar uma pilha de pó de gengibre.

Quando Emma chega em casa depois das aulas com o tutor, sente o cheiro dos *cookies* e grita tão alto que o resto dos galhos cai da árvore de Natal. Ela joga os braços e o gesso cor-de-rosa ao meu redor e me aperta, quase fraturando minhas costelas. Eu a deixo pintar minhas unhas da mesma cor das dela para que possamos ser gêmeas.

Jennifer fica assustada ao ver os *cookies*. Emma a lembra de que a tinha inscrito na feira de bolos e eu me ofereço para ir no lugar dela, o que surpreende Jennifer ainda mais. Temos tempo apenas para sanduíches de peru (230) antes de sairmos para o concerto.

***

A Escola de Ensino Fundamental Park Street ainda tem exatamente o mesmo cheiro de quando eu estudava lá: corpos quentes e suados, molho barato para espaguete, canetinhas e papel. Há uma homenagem para a Cassie no quadro de avisos no hall de entrada. A foto foi tirada há alguns anos, antes de o vômito acabar com suas glândulas salivares e fazê-las inchar para ficar do tamanho de nozes no fundo da mandíbula dela. Ver a foto faz meu coração bater mais forte, mas continuo andando, viro à direita na biblioteca, e à esquerda no fim do hall. A foto está lá mesmo, eu não estou inventando, não é uma visão fantasmagórica. O pai dela é o diretor daqui e a mãe dela cuida de todas as outras coisas. Faz sentido montar esse santuário.

Emma sai correndo para trás do palco para pegar seu lugar.

— Você tem certeza de que não quer entrar e ouvir? — Jennifer pergunta para mim. — Podemos trocar de lugar no intervalo.

E me sentar junto a seiscentos pais superaquecidos, todos armados com câmeras de vídeo?

— Não, de verdade, pode ir. Pode assistir a tudo.

Ela me abraça, me apertando forte o bastante para fazer minhas costelas gemerem. Foi tão rápido que eu nem suspeitava de que pudesse acontecer. Ela me larga, segura meu rosto com as duas mãos e beija meu nariz.

— Você pode ser bem doce às vezes, sabia? Estou te devendo tanto! — Ela se aproxima e diz baixinho: — Eu não suporto essas mulheres. Dá vontade de gritar.

— Não tem problema — respondo, tentando não cambalear sob o peso do beijo dela.

Há quatro mesas de refeitório no hall de trás do prédio para a feira de bolos. As mesas estão cheias de pratos de *cookies* com dez tipos diferentes de gotas de chocolate, incluindo sem-trigo, sem-leite-e-sem-ovo. As mães dessa escola assistem a programas culinários demais. Há *brownies* de trufas, *wafers* de canela, barrinhas de chocolate com menta. Algumas fizeram *cupcakes* com sabores bizarros: romã, chá verde, *cranberry*, pistache e goiaba. (Os *cupcakes* vêm com rótulos listando todos os ingredientes para os alérgicos.) Na última mesa, perto da caixa registradora, há dois baldes de *pretzels* cobertos de chocolate e cobertos de granulado colorido, e três casas perfeitas de pão de mel que serão leiloadas. Uma tem janelas com vitrais feitos de balas derretidas.

As mães com quem vou trabalhar hoje vão enfiar *cookies* na boca e deixar as migalhas se acumularem em seus suéteres.

— Quer chocolate caseiro? — elas perguntam, olhando fixamente para as minhas clavículas. — Experimente as barrinhas de sete camadas. Elas são irresistíveis.

Eu adoraria experimentar uma barrinha de sete camadas. Adoraria pegar um pedaço de chocolate e fofocar sobre o último episódio de qualquer coisa, morder o chocolate, rir, mastigar porque é gostoso e fica bom na minha boca, e engolir e ficar com a barriga brilhante de tanta chocolatidade. Mas eles não são para mim.

— Não, obrigada — recuso.

— Mas você é tão magrinha! — elas gritam. — Você não tem que se preocupar, como nós! — Elas dão um tapa nas coxas, balançam a bunda, beliscam a barriga. — Pegue um pedaço. Pegue dois!

A mão lá em cima controla minhas cordas de marionete. Os cantos da minha boca se viram para cima e bato os cílios, dou de ombros um pouquinho.

— É que eu acabei de jantar um monte — invento. — Mais tarde como alguma coisa.

Uma onda de pessoas famintas nos interrompe e vendemos, vendemos, vendemos. A certa altura vejo a Sra. Parrish, vestida como a Mamãe Noel, vagando pela multidão. Sua peruca está caída para o lado. Um grupo de criancinhas sai correndo na direção dela e faz tchau, pedindo que ela diga ao Papai Noel que foram muito boazinhas este ano. Ela anda sem prestar atenção neles, indo direto para a mesa dos bolos. Eu me escondo atrás de uma casinha de pão de mel até ela ir embora.

Quando o concerto começa, falo para as mães gordas irem assistir aos filhos, eu fico de olho na comida e no caixa. Essas coisas não são uma tentação, só me deixam tonta; eu sou forte mesmo.

As mães me dão milhares de chances para mudar de ideia ("Não, tenho certeza, vocês podem ir, sério, mesmo"), e então saem aos encontrões para o auditório armadas com *brownies* de emergência, em caso de um acidente inesperado de glicemia sanguínea.

Eu me sento atrás de uma montanha de docinhos de marshmallow embrulhados individualmente. A banda está tocando "Noite Feliz" ou "It Came Upon a Midnight Clear". Fico de olho no hall. Cassie não apareceu; ainda não. Não há neve à vista. Sinto cheiro de gengibre, mas é por causa dos doces. Não acho que ela vá aparecer, não com seu rosto grampeado no quadro de avisos como um pôster de "procurada", não com seus pais aqui. Eles a veriam também, eu sei. E aí seria um inferno. Ela não se atreveria.

Pego minhas coisas para fazer tricô, seguro as agulhas com força e enrolo a lã. Tricota, tricota, e dá um nó. A lã está úmida do suor das minhas mãos. Tricota, tricota, e dá um nó. Não. Eu volto e desfaço os pontos. Tricota, tricota, e dá um nó.

~~Meus dedos traidores querem aquele chocolate caseiro.~~ Não querem, não. ~~Eles querem uma barrinha de sete camadas e aqueles muffins esquisitos e os pretzels também.~~ Eles não querem, não. ~~Eles querem amassar os marshmallows e enfiar todos na minha boca.~~ Mas não vão.

O tricô afunda no meu colo. As agulhas são pesadas demais, a lã, fios de ferro. A cartilagem dos meus dedos e joelhos e cotovelos está afinando. Comfomecomfome luta contra passefomepassefome para lá e para cá no campo de batalha da minha mente.

Tudo dói.

Uma porta se abre e fecha e sopra o cheiro de gengibre e cravos e açúcar queimado no meu rosto e no meu cabelo. Até agora, hoje sou 412 calorias. Vou queimar tudo e mais algumas centenas se encontrar forças para subir na máquina de step. Eu poderia comer metade de um *cupcake* (150), ou um quarto dele (75). Eu poderia raspar a cobertura e comer só a massa.

Eu não deveria. Não posso. Não mereço. Sou uma gorda gigante e tenho nojo de mim mesma. Eu já ocupo espaço demais. Sou uma hipócrita feia e malvada. Sou um problema. Sou um lixo. Quero dormir e não acordar, mas não quero morrer. Quero comer como uma pessoa normal, mas preciso ver meus ossos ou vou me odiar ainda mais e poderia arrancar meu coração ou tomar todos os comprimidos já fabricados na história.

Pego o *cupcake* que com certeza será o menos gostoso: o de romã. Tem cobertura rosa e sementes vermelhas por cima. Lambo as sementes e dou uma mordida. Elas explodem na minha boca, um sabor penetrante vermelho e molhado, não como o de frutas vermelhas, ou de uma maçã, mas mais escuro, parecido com o do vinho. Eu poderia comer um punhado dessas sementes, ou seis punhados, ou poderia jogar um balde inteiro delas dentro de mim. Não poderia, não. Como apenas seis sementes: 1.2.3.4.5.6. Elas descem mornas pela minha garganta, e não me assustam. Ouço uma porta se abrir, mas não posso vê-la. As cordas de marionete do meu corpo foram cortadas e não consigo sentir essas mãos, nem impedi-las de tirar o papel que envolve o *cupcake* e o enfiá-lo em mim. Essa boca mastiga e engole e vai rápido porque aqui vem mais um e mais outro até que todos os *cupcakes* com sementes vermelhas desaparecem. Cada. Um. Deles. Essas mãos tentam alcançar um *brownie* em seguida, e então um pedaço de chocolate e uma garota Emma de gengibre com o braço cor-de-rosa. Eu me dissolvo em uma névoa de açúcar até as portas do auditório se abrirem com tudo e o salão se encher de aplauso e assobios, e corpos quentes.

Saio correndo para o banheiro.

Não importa o quanto eu consiga enfiar o dedo na garganta, a fossa não quer se esvaziar. Jogo sabão na boca e faço um gargarejo até bolhas escorrerem pelas minhas bochechas.

[045.00]

No meio da noite, alguém enfia uma espada nas minhas entranhas. Acordo gritando e pedindo por meus pais, mas é Jennifer que vem correndo porque meu pai está viajando de novo e minha mãe não mora aqui. Ela me ajuda a me arrastar até o banheiro. Não sei se devo me sentar na privada ou enfiar a cabeça dentro dela.

Abaixo a calcinha e me sento. Jennifer molha uma toalha na água fria, a torce e a coloca atrás do meu pescoço.

— Eu estou bem — balbucio.

— Não está, não. — Ela coloca as costas da mão sobre a minha testa. — Você não está com febre. Pode ser intoxicação alimentar, eu acho. O que você comeu no almoço?

A lâmina rasga minha barriga de novo e engulo um gemido.

— Sopa e biscoito de água e sal. E todo mundo aqui comeu o peru fatiado nos sanduíches que você fez para o jantar.

— Você está com enjoo?

Balanço a cabeça.

— Você comeu alguma coisa na feirinha de bolos?

Antes que eu consiga mentir, minha cabeça vai para cima e para baixo.

— *Cupcakes.*

— *Cupcakes*? Você comeu mais de um?

Faço que sim com a cabeça de novo.

— Estavam gostosos.

— Não sei como um *cupcake* poderia te deixar assim. Pode ser que tenham usado ovo cru na cobertura. Tudo bem se eu for lá embaixo rapidinho? Quero conferir uma coisa.

— O quê? — pergunto por entre os dentes. — Claro. Quando você voltar, pode me trazer um chá de hortelã?

— Você não deveria comer nada até seu estômago parar de doer.

— Por favor, Jennifer. Eu sei que vai ajudar.

— Tudo bem, relaxe. Tente respirar. Saindo um chá de hortelã...

Quando ela sai do banheiro, dou um gemido. Sei exatamente o que há de errado. Eu sou um fracasso cheio de gula e que não consegue parar de enfiar comida na boca. Um lixo. Meu corpo não está acostumado a carboidratos cheios de açúcar enfeitados com bruxaria. Mal posso lidar com sopa e biscoito de água e sal.

A lâmina passa de novo. Os laxantes que engoli com tudo quando cheguei em casa estão queimando minhas entranhas. Além disso, meus níveis de fosfato estão totalmente malucos por causa do açúcar inesperado. Além disso, há uma possibilidade de que eu tenha tanto talento para passar fome que o balão vazio do meu estômago está mudando da cor rosa para um cinza fantasma porque as células estão morrendo por negligência. Ou Cassie fez uma boneca vodu de gengibre de mim ao lado do túmulo dela e a está apunhalando e cortando em pedacinhos sangrentos.

Minha cabeça está pesada demais para ficar sobre meus ombros. Eu me inclino para frente e a deixo pendurada entre as pernas.

— Lia?

Através da cortina do meu cabelo vejo as pantufas de Emma se arrastarem para o banheiro.

— Lia, você vai morrer? — Lágrimas estão empoleiradas na pontinha da voz dela.

Eu me esforço para me endireitar de novo e tento ignorar as manchas pretas que se abrem em frente aos meus olhos.

— Só estou com uma dorzinha de barriga, querida. Ninguém morre disso. Vou ficar boa.

Jennifer leva Emma de volta para a cama e decide acreditar na minha mentira de como estou me sentindo muito melhor e como vou ficar lendo no banheiro por um tempo, só para garantir. Passo a maior parte da noite me arrastando entre minha cama e a privada, me esvaziando, esvaziando, esvaziando enquanto os laxantes me moem por dentro e fazem seu trabalho sujo. Esfrego a privada com o desinfetante azul depois de cada viagem.

Quando caio na cama, alguém começa a bater no meu peito com um bastão de beisebol. Tento sentir meu pulso, mas meu coração está martelando rápido demais para eu contar as batidas. Estou suando. Meu corpo está se comendo, cortando meus músculos e os jogando no fogo para o motor não fundir.

Há metal na minha boca. Preciso acordar a Jennifer.

Mas se eu a acordar, ela vai ficar maluca.

Se ela ficar maluca, vai chamar uma ambulância.

Se a ambulância vier, estou ferrada.

Eu me viro para o lado e peço para Cassie massagear minhas costas e cantar para mim.

[046.00]

Quando meu pai volta de Nova York no sábado, estou tirando uma soneca no sofá. Ele chacoalha meu ombro e eu pulo, sem saber onde estou ou quem sou, ou quem ele é. Ele não percebe.

— Cadê a Jen e a Emma? — ele pergunta.

Eu me sento. Devagar. As piores cólicas da noite passada já foram, mas parece que fiz um milhão de abdominais de cabeça para baixo.

— Estão no shopping. Como foi a viagem?

— Excelente — ele conta. — Meu editor vai estender a data de entrega e vai me dar mais um adiantamento para pagar uma viagem de pesquisa a Londres. Eu sou O Cara.

Ele tenta jogar o punho no ar como se fosse um jogador profissional de futebol americano, mas parece mais um professor ridículo de faculdade tentando chamar um táxi.

— Que ótimo, pai.

O sorriso dele se desbota.

— Você está bem? Você não está com uma cara muito boa.

— Tive intoxicação alimentar ontem à noite, por causa de um *cupcake*. — Enrolo o cobertor ao redor dos ombros. — Vai entender.

— Você ligou para a sua mãe?

— Não.

— Ela é médica, sabia?

— Sim, eu sabia. Mas não queria que ela viesse para cá com uma ambulância no meio da noite. Jennifer me ajudou. Estou bem; só cansada.

— Você tem certeza? — Ele coloca as costas da mão sobre a minha testa.

— Por que você está fazendo isso?

— É isso que se faz quando seus filhos estão doentes.

— Você não tem jeito — respondo.

Ele me dá um abraço rápido. — Não tenho jeito da melhor maneira possível. Eu trouxe presentes para vocês, talvez isso ajude. Espere aí.

Ele sai da sala e volta com uma sacola de plástico.

— Dê uma olhada.

Eu esvazio a sacola. Acho que a varinha mágica cheia de purpurina deve ser para a Emma, o que significa que os livros são para mim: todas as histórias sobre a agonia de ser adolescente na escola, escritas para garotas de 12 anos. A não ser que os livros sejam para a Emma, e a varinha, para mim. Seria bem útil.

— Você quer de morango, de uva ou de mel? — meu pai pergunta enquanto vai até a cozinha.

— O quê?

— De morango, de uva ou de mel? É quase hora do almoço. Vou fazer sanduíches de pasta de amendoim com geleia para a gente.

Enfio a varinha mágica debaixo do braço e vou atrás dele, o cobertor se arrastando atrás de mim como uma capa.

— Não estou com fome. Meu estômago ainda está estranho.

— Então vou fazer chá com torrada. Você está tomando os remédios?

Minha cabeça faz que "não" antes que eu consiga impedi-la.

— Então é isso. Você precisa colocar alguma coisa no estômago para tomar o remédio. Sente aí, querida.

Enquanto o pão está tostando para mim (2 fatias = 154), ele faz dois sanduíches para ele mesmo, ambos com pasta de amendoim crocante e geleia de uva. Ele coloca uma caneca no micro-ondas para o chá e dá uma mordida em um dos sanduíches sem pensar. Pega um prato para as minhas torradas e dá outra mordida. Ele come e toma conta de tudo, passando manteiga na torrada (100) sem me perguntar, tirando o leite da geladeira e o levando para a mesa com o prato e o chá. Metade do sanduíche dele já se foi. Como ele consegue?

Não me lembro mais de como é comer sem planejar tudo, anotando as calorias e o teor de gordura e medindo meus quadris e minhas coxas para ver se mereço e geralmente decidindo que não, que não mereço, e então mordendo a língua até sangrar e fechar minha boca com arame e mentiras e desculpas enquanto uma lombriga cega se enrosca na minha traqueia, fungando e cutucando em busca de uma abertura úmida para o meu cérebro.

Estou tão cansada. Esqueci como fazer para dormir também.

Meu pai fala sem parar sobre um monte de cartas mofadas nos arquivos de Londres e como, se conseguir passagens com preço bom, todos nós poderíamos ir para a Inglaterra, o que nunca vai acontecer. Engulo meus comprimidos e tomo um gole de chá. Bem na hora em que estou prestes a pegar meia fatia de torrada (38) + um quarto de colher de sopa de manteiga (25) = 63, o telefone toca.

Começo a me levantar.

— Não — ele disse. — Deixe a secretária eletrônica responder.

Depois do bipe, a voz da Sra. Parrish crepita no alto-falante.

— Lia? Lia, por favor ligue para mim. Não estou brava, juro. Procuramos por todo canto e não conseguimos encontrar o colar da Cassie, aquele com o sino de prata. Fiquei pensando que se eu o usasse... Você pode me ajudar? — a voz dela some e ela chora uma vez, e então funga. — Só quero que você me ligue, Lia... Preciso que você me ajude.

Depois que ela desliga, meu pai apaga a mensagem.

— Ela deveria estar falando com o psicólogo em vez de incomodar você.

Estudo as rachaduras no reboco entre os azulejos do piso. Se eu conseguisse me transformar em um punhado de fumaça, poderia passar por ali e desaparecer.

— Tudo bem — minto. — Ela não está conseguindo seguir em frente. É triste.

— É assim que você se sente também? — Ele toma um gole de leite. — Parada no mesmo lugar e triste?

Eu deveria ter fingido que estava dormindo quando ele chegou.

— Não.

— Mas é assim que está parecendo para nós.

— Quem é "nós"?

A pasta de amendoim tenta grudar a boca dele fechada, mas não é forte o suficiente.

— Eu tive uma longa conversa com a sua mãe ontem à noite.

— Você falou com a minha mãe duas vezes em um ano?

— Sem sarcasmo, por favor. — Ele dá outra mordida no sanduíche e mastiga. — Chloe acha que você deveria ser avaliada.

— Avaliada?

— Jennifer acha isso também.

— Avaliada para quê?

Ele para de comer. — Para ver se você deveria voltar para o hospital e ficar internada.

As rachaduras no chão ficam maiores.

— Você quer me prender de novo?

— Chloe disse que ia ligar para você agora pela manhã para conversar sobre isso.

— Ela não ligou. — Estou tremendo. O frio entra, encharcando as janelas. — Você acha que eu deveria voltar?

— Sinceramente? Acho um pouco radical demais. Suas notas poderiam ser melhores, mas você está indo à escola. Você não sai escondido à noite para se meter em confusão. Eu gostaria que você ganhasse um pouco de peso. Eu disse à sua mãe que voltar ao nutricionista para algumas consultas provavelmente seria suficiente.

— Mas a minha mãe quer me prender de novo.

— A avaliação pode provar que ela está errada; veja por esse lado.

— Ela já marcou a consulta, né?

Ele pega a varinha mágica e a vira de lado para que a purpurina desça, perfeitamente acondicionada pelo plástico.

— Dez da manhã, dois dias depois do Natal.

As rachaduras no chão se abrem, cânions rochosos sem fundo. Eu fico balançando na ponta.

— Que maravilha — respondo. — Vou poder escrever uma redação sobre as minhas férias de Natal na fazenda de engorda onde eles enfiaram tubos dentro do meu nariz, me fizeram comer manteiga e me deram comprimidinhos lindos e então passaram o aspirador de pó no meu cérebro e me transformaram em um zumbi gordo. Que delícia.

— Você não vai ser internada a não ser que precise. Você não quer ser saudável, se sentir melhor?

— Vocês só estão tentando se livrar de mim.

— Estou preocupado com você. Quero minha filhinha de volta.

Eu me levanto e fico andando entre a mesa e o fogão.

— Eu já tentei ficar no hospital. Duas vezes. — A capa escorrega dos meus ombros. — Você disse que era a última vez porque eu já tinha usado toda a cobertura do plano de saúde.

— Se você tiver que ser internada, sua mãe vai vender umas ações e eu refaço a hipoteca da casa. Mas não precisa chegar a esse ponto. Se você simplesmente comesse...

— Não preciso comer como você.

— Que inferno, Lia! — ele grita. — Isso não é verdade e você sabe disso. Então a gente tem que deixar você passar fome até morrer?

Aquela voz-do-papai-gritando antigamente me assustava. Agora só me deixa com ódio.

— Sua mulher me vê subir naquela porcaria de balança toda semana.

— E seu peso está caindo. Esta semana foi o quê, 47 quilos? Você me jurou que ficaria nos 50!

— Minha estrutura é pequena e meu metabolismo é lento.

— De novo essa bobagem! — Ele cospe sanduíche pela mesa toda. — Você me implorou para vir morar aqui. Disse que não poderia morar com a sua mãe nem um minuto a mais. Você falou que ela era o problema e eu acreditei em você, assim como acreditei quando você disse que seria sincera.

Tento baixar a voz. Quanto mais ele perder o controle, mais tenho que manter a linha. — Você também não cumpre o que promete. Todos aqueles fins de semana cancelados, as viagens que a gente ia fazer, a casa que você ia comprar perto de um lago.

Ele olha fixamente para mim. — Não mude de assunto.

— Eu preciso de um tempo, pai — explico. — Não consigo simplesmente enfiar comida na boca. Tenho que começar minha vida toda de novo.

— E quando isso vai acontecer, exatamente? — A voz dele fica tão feia quanto alta, a voz que costumava brigar com a minha mãe quando eu deveria estar dormindo. — Este ano? Este século?

— Estou trabalhando nisso.

— Não está, não. Você já está aqui há seis meses e ainda nem desempacotou aquelas porcarias de caixas.

— Ah, você finalmente percebeu? — devolvo o cinismo para ele.

— O que você quer dizer com isso? — ele quer saber.

— Você nunca fica em casa. Jennifer toma conta de tudo para que você possa ir para as suas reuniões e à biblioteca e aos jogos de *squash* e aos seus jantarzinhos chiques. Opa, espere aí; quando foi mesmo que eu vi isso acontecer? Está de namorada nova, papai? Pronto para o segundo *round* de divórcios? E não se esqueça de arrumar um bom psicólogo para a Emma; ela acha que você é um deus.

O rosto dele está da cor de um ataque cardíaco. Os músculos em sua mandíbula estão contraídos com tanta força que seus dentes poderiam espatifar. A qualquer minuto agora, ele vai me pegar e me jogar pela janela e não vou tocar o chão por uns mil quilômetros até cair.

Ele pega a jarra de leite e enche mais o copo. Toma um gole comprido de leite e muito deliberadamente coloca o copo de volta sobre a mesa. — Pare de transformar isso em uma revisão dos meus defeitos. Estamos falando sobre você, Lia.

As linhas no rosto dele ficam frouxas de decepção. Seus olhos estão contornados pelo vermelho das noites longas, dos vários erros e de uma filha defeituosa. É mais fácil enfrentá-lo quando ele está gritando.

— Eu queria entender o que se passa dentro de você. — Ele vira a varinha mágica de novo, mas não olha para a purpurina. — E por que você tem tanto medo.

O carrossel gira dentro da minha cabeça, e tão rápido que tudo que consigo ver são respingos amarelo-mel, vermelho-

-morango e roxo-uva-passando por meus olhos. Eu nunca deveria ter vindo para essa casa, mas não tinha outro lugar para ir.

— Por favor, Lia. — A voz dele já virou um sussurro. — Por favor, coma.

O carrossel se quebra e farpas e pedaços de cor passam voando através da minha cabeça.

Pego o sanduíche do prato dele e o enfio na boca.

— É isso que você quer? — grito. — Olha só, a Lia está comendo! A Lia está comendo! — A cada mastigada, abro minha boca bem grande para que pão, geleia, pasta de amendoim e saliva escorram para os cânions debaixo de nós dois. — Você está feliz agora?

Ele chama meu nome enquanto saio correndo da cozinha.

Ele não vem atrás de mim.

[047.00]

Ligo o aquecedor do meu quarto no máximo e também os alto--falantes do meu som o mais alto possível. A música liquidifica o ar e sopra os papéis sobre a minha escrivaninha. Eu me arrasto até a cama, mas o colchão está cheio de pedras e conchas e não consigo ficar confortável. Abro livros, mas as histórias estão todas trancadas lá dentro e não sei as palavras mágicas.

OquêPorquêQuandoComoQuem? OquêPorquêQuandoComo-Quem? OquêPorquêQuandoComoQuem?

Do que é que eu tenho medo? Por que não consigo nem querer ficar melhor? Quando eu sou eu e como sei o que e quem eu seria se fizesse o que eles querem?

Como é que eu fiquei assim?

Talvez minha mãe tenha usado drogas quando estava grávida de mim. Ela começou a residência naquele ano — e provavelmente passou todos os nove meses sem dormir e eu nasci com síndrome do feto-super-cafeinado. Ou o Professor Overbrook fumou maconha enfeitada com uma substância química experimental e embuchou a minha mãe com esperma mutante. Sei lá.

Tiro o pó das prateleiras e dos batentes da janela e vou lá embaixo buscar o aspirador de pó, um copo de cubos de gelo (o Professor Overbrook tenta falar comigo, pena que ele não existe, eu não tenho pai, nem mãe, só um espaço branco sem paredes), e a caixa de sacos de lixo. Depois que o carpete está aspirado e limpo, abro uma das caixas de papelão cheias de merda da casa da minha mãe e coloco tudo no saco de lixo. Eu nem olho nada. Não ouço meus dedos dizendo que é uma boneca, um colar, um livro-brochura de Jane Yolen, uma coleção de moedas. Aperto o gelo entre os dentes e engulo as lascas. Tudo é lixo.

O Professor Overbrook entra no quarto quando estou amarrando o terceiro saco. Vejo a boca dele se mexer. Ele me dá uma caneca de chá de hortelã que acabou de fazer e um prato dos biscoitos com cobertura ridícula que a Jennifer comprou na feira de bolos. Ele vai para o escritório pegar uns materiais de pesquisa que esqueceu.

Depois que ele foge, esmigalho os biscoitos na privada e dou descarga. Coloco mais algumas balas malucas na boca e engulo tudo com água gelada, e então me esforço para fazer quinhentos abdominais...

::Estúpida/feia/estúpida/vaca/estúpida/gorda/
estúpida/criançona/estúpida/perdedora/estúpida/perdida::

...embora machuquem minha barriga. Mas principalmente porque machucam.

Lia a Asquerosa liga para a recepção do Gateway. Lia a Asquerosa diz ao Charlie, que atende ao telefone, que se não colocar Elijah no telefone nesse instante, vai ligar para a polícia e denunciar que Charlie tentou assediá-la sexualmente. Ele diz "espere aí".

Enquanto espero, raspo o esmalte das unhas. A Dra. IdiotaParker diz que quando estou triste, na verdade quer dizer que estou com raiva e que quando estou com raiva quer dizer que estou com medo. Não acredito que ela ganha dinheiro imaginando esse tipo de besteira. Dá vontade de começar uma guerra ou explodir um prédio ou quebrar todas as janelas da casa. Fico pensando o que ela diria que isso realmente significa.

Elijah finalmente atende ao telefone.

— Oi. E aí?

Lia: Tenho que falar com você.

Elijah: Hoje você é a Emma ou a Lia?

Lia: Você mente o tempo todo.

Elijah: É um mau hábito.

Lia: Sinto muito. Desculpe.

Elijah: Tudo bem. Sem problemas.

Lia: Então somos amigos de novo?

Elijah: Acho que sim.

Lia: Que bom. E o seu carro?

Elijah: Vai ficar pronto quando o Charlie fechar o motel para o inverno.

Lia: Para onde você vai?

Elijah: Oxford, Mississippi, talvez. Ou posso voltar para o México. Gostei de lá. (Ele cobre o telefone, fala com Charlie.)

Tenho que ir. O maluco do chefe acha que eu deveria estar trabalhando de verdade enquanto ele me paga.

Lia: Não, espere, tenho uma pergunta.

Elijah: Pode falar.

Lia: Você falou que a primeira vez que viu a Cassie foi quando encontrou o corpo dela.

Elijah: Isso não é uma pergunta, mas sim.

Lia: No cemitério você me perguntou por que eu não atendi quando ela me ligou naquela noite. Como você sabia que ela tinha ligado para mim?

Elijah, o Silencioso:

Lia: Alô? Você ainda está aí?

Elijah: A gente pode falar sobre isso mais tarde?

Lia: Não. Você tem que me contar. Ela queria que você me contasse.

Elijah: Eu joguei baralho com o Charlie até meia-noite e decidi ir para o centro da cidade. Cassie me viu passando e abriu a porta, se matando de chorar e falando como a Lia estava brava com ela, como a Lia não atendia ao telefone. Eu disse para ela ir dormir para se sentir melhor. Ela não me deixou em paz até eu anotar o seu telefone e prometer que te daria a mensagem. Eu saí de lá o mais rápido possível.

Lia: O que ela disse?

Elijah: Eu contei tudo isso para os policiais, sabe? Eles assistiram aos vídeos das câmeras de segurança; ainda bem que o Charlie é paranoico. Eu nem relei nela. Nem peguei a bolsa dela, mas poderia ter levado. Ela apareceu na fita umas horas depois que eu saí, cambaleando pelo estacionamento e cantando para a Lua. Então ela voltou para dentro.

Lia: Qual era a mensagem?

Elijah: Nada de mais, na verdade. Não se esqueça de que ela estava muito louca.

Lia: Conte para mim.

Elijah: Ela disse: "Fala para a Lia que ela ganhou. Eu perdi e ela ganhou". Essa é a mensagem. Parecia bem importante naquele momento, mas agora soa meio boba, eu acho. Vocês fizeram uma aposta? O que você ganhou?

Eu desligo o telefone sem me despedir.

Eu ganhei a viagem das garotas geladas para atravessar a fronteira da perigolândia.

[048.00]

Ligo a música no último volume e vou para o banheiro limpar o telefonema e o pó e o sanduíche da minha boca.

1. 2. 3. 4. 5. 6. 7. 8. 9. 10. 11. 12. 13. 14. 15. 16. 17. 18. 19.
20. 21. 22. 23. 24. 25. 26. 27. 28. 29. 30. 31. 32. 33.

Eu não ganhei. Eu não acredito que ela disse aquilo. Besteira bem típica da Cassie, melodramática e exagerada. Não é culpa minha que ela perdeu a noção tão rápido e os pais dela nunca prestaram atenção. Não é culpa minha que ela vomitava, nem que vomitar era a única coisa que a fazia se sentir melhor.

ela me ligou.

Escovo a gengiva até começar a sangrar, e então esfrego com mais força. O suco vermelho da Lia escorre pelo meu queixo, me transformando em uma vampira faminta pronta para sugar a vida de qualquer um que me deixe brava. Talvez esse seja o meu problema. Talvez eu seja uma morta-viva. Vampiros são pálidos, gelados e magros como eu. No fundo, eles odeiam o gosto de sangue, odeiam a maneira como fazem as pessoas chorarem, odeiam cemitérios e caixões e o animal que os domina. Eles mentem sobre como odeiam tudo isso até alguém enfiar uma estaca em seus corações.

... corpo sozinho...

Coloco a boca debaixo da torneira, enxáguo e cuspo.

A balança aparece no chão, a balança boa, a que não mente. Tiro a roupa e fico de pé sobre ela para pesar minhas culpas e medir meus pecados.

Quarenta quilos e trezentos gramas.

Eu poderia dizer que estou animada, mas seria mentira. O número não importa. Se eu chegasse a 32, iria querer 29. Se eu pesasse 4,5 quilos, não ficaria feliz até chegar aos 2,25. O único número que seria suficiente é 0. Zero quilos, zero vida, tamanho zero, zero duplo, zero e ponto. Zerado é sinônimo de estar pronto para tudo. Agora eu entendo.

Abro a janela e jogo a balança no jardim da frente de casa. Ligo o chuveiro; apenas água quente, e olho fixamente para o espelho. Os buracos do meu rosto estão cheios de areia e de pus. O branco dos meus olhos são poças de limonada derramadas sobre sombras roxas sob elas. Meu nariz é pelo e ranho, meus ouvidos, cera de vela, minha boca é um esgoto. Estou presa no espelho e não há porta de saída.

::Estúpida/feia/estúpida/vaca/estúpida/gorda/
estúpida/criançona/estúpida/perdedora/estúpida/perdida::

A faca com cabo de osso da Vovó Marrigan sai de fininho de debaixo do meu colchão, escorrega até o banheiro, e se deita no lado esquerdo da pia, a lâmina virada para a parede de vidro.

Os comprimidos que tomei uma hora atrás atingem minhas veias como latas de lixo rolando pela rua. As cobras na minha cabeça acordam, se arrastam pelo meu tronco cerebral e discutem com os abutres que estavam cochilando. Os pássaros batem suas asas noturnas uma vez, duas, três e circulam no alto do céu. Suas sombras não me deixam ver o Sol.

Uso minha camiseta para apagar o vapor do espelho. Está pingando dos meus braços, também, perolizando minhas lanugens, os pelinhos brancos que começaram a nascer para me manter aquecida.

Corpo idiota. Para que fazer crescer pelos e deixar meu cabelo cair?

— Você não adoraria saber? — o corpo idiota responde.

— Você ganhou — completa Cassie.

Ganhei porque sou mais magra. Sou um zero duplo. Eu me mantive forte e não vou chorar depois do leite derramado. Eu não tomo mais leite.

Aperto minhas bochechas com as pontas dos dedos. Se eu batesse minha cabeça com tudo contra uma parede de pedra, aposto que fraturaria todos os ossos do meu rosto. Os dedos escorrem pelo meu queixo, por minha garganta, passam pelas asas de borboleta da minha tireoide, e mais abaixo onde os ossos da minha clavícula engancham meu esterno como o osso da sorte de um pássaro.

Os gatos da Emma estão no corredor, arranhando o pé da porta para entrarem.

Minhas mãos leem um mapa em braile lavrado em osso, começando com meus seios ocos fiados com rios de veias azuis cheias de gelo. Conto minhas costelas como contas de um rosário, murmurando encantamentos, meus dedos se enrolando por baixo da caixa de ossos. Eles quase conseguem tocar o que está lá dentro.

Minha pele se estende em declive sobre a barriga vazia, e então ao redor da curva interna e pontiaguda dos ossos dos meus quadris, tigelas esculpidas em pedra e pintadas com cicatrizes cor-de-rosa desbotadas. Eu me viro dentro do vidro. Minhas vértebras são bolinhas de gude molhadas e empilhadas umas sobre as outras. Minhas omoplatas parecem estar prontas para fazer brotar penas.

Pego a faca.

Os tendões nas costas da minha mão se tensionam, cordas tentando segurar uma tenda enquanto o vento sopra. Cicatrizes finas cauterizam a parte de dentro do meu pulso, se alargando em fitas na curva do meu cotovelo onde eu cortei fundo demais no nono ano.

Eu ganho, eu ganhei.

Estou perdida.

A música vinda do meu quarto grita tão alto contra o espelho que faz meus ouvidos pulsarem. Olho fixamente para a garota-

-fantasma do outro lado, seus ossos de espartilho esperando serem amarrados ainda mais justos para que ela possa se dobrar mais uma vez e outra até desaparecer além do zero.

Eu corto.

A primeira incisão vai do meu pescoço até abaixo do meu coração, profunda o bastante para que eu finalmente consiga sentir alguma coisa, mas não o bastante para me abrir. A dor flui como lava e me deixa sem ar.

A faca esculpe um caminho na carne entre duas costelas, e então entre as duas costelas abaixo delas. Gotas gordas de sangue derramam sobre a pia, sementes vermelhas maduras. Eu sou tão, tão forte, meus ossos são de ferro, e sou tão mágica que a faca desenha uma terceira linha entre duas costelas, reta e verdadeira. O sangue se empoça nas tigelas dos meus quadris e pinga sobre o chão de azulejos. Buracos negros se abrem em frente aos meus olhos e o pássaro selvagem preso no meu coração bate suas asas freneticamente. Estou suando, e finalmente me sinto quente.

A música pa...

[049.00]

A porta do banheiro se abre com tudo.

Emma vê o sangue pintando minha pele e os rios vermelhos esculpidos no meu corpo. Emma vê uma faca molhada, prata e osso.

Os gritos da minha irmãzinha estilhaçam os espelhos.

[050.00]

A sala de emergência está cheia de neblina. Sombras zangadas voam para cima e para baixo nas paredes e também pelo teto.

Cassie segura a minha mão e sussurra os números.

— Seu coração estava batendo trinta e três vezes por minuto na ambulância. Bradicardia incrível. O eletrocardiograma saiu meio esquisito, provavelmente por causa da desidratação e da perda de sangue. Você está respirando bem, mas está com a pressão sanguínea e a temperatura de nada.

Fecho os olhos.

Quando eles se abrem, ela já tem os resultados do laboratório.

— Anemia — ela diz. — E hipoglicemia, níveis baixos de fosfato e de cálcio, T3 baixo, não sei o que isso quer dizer, alta nos glóbulos brancos, baixa nas plaquetas. Eles te costuraram com linha preta, trinta e três pontos, não é estranho? Ah, e tem cetonas no seu xixi. Continue assim e vamos passar o Ano-Novo juntas. Fique firme, querida.

— Cadê a Emma? — pergunto.

Uma enfermeira me enfeita com colares de tubos de plástico e fios verdes, e decora o quarto com bolsas de plástico cheias de água e sangue. Ela me espeta com uma agulha. Eu me deito em um caixão de vidro em que roseiras escalam as paredes para fiarem minha fortaleza de espinhos.

[051.00]

Dois dias depois, dois dias antes do Natal, sou considerada gorda e sã o bastante para ser chutada do hospital. O plano de me mandar direto para a New Seasons não vai dar certo. Não há vagas na pousada para uma pele de couro de Lia inchada de tanta confusão. Ainda não. O diretor promete para a ~~minha mãe~~ Dra. Marrigan que vai ter uma cama para mim na próxima semana.

Estou estável o suficiente para ficar em casa por enquanto. Todos dizem que estou estável.

Eu falhei ao não conseguir comer, nem tomar nada, e ao não conseguir me impedir de me cortar em retalhos. Falhei na amizade. Falhei na relação com minha irmã e também como filha. Falhei em relação a espelhos, balanças e telefonemas. Ainda bem que estou estável.

***

Meu pai vem me buscar no hospital. Ele veio me visitar todos os dias sem a Jennifer (mas fazendo questão de nunca trombar com a minha mãe) e chorou com a cabeça sobre o meu colchão, mas não disse muito, nem me ajudou a entrar no carro.

Nevou enquanto eu estava ligada aos tubos. Os campos brancos refletem o Sol e fica difícil enxergar. Abro a sombreira do banco do passageiro e uma garota me olha do espelho que tem lá dentro. Parte do meu cérebro, a parte hidratada e alimentada com glicogênio, sabe que estou olhando para mim. Mas a maior parte duvida. Não sei mais como deve ser a minha cara. Até o nome na pulseirinha do hospital me parece estranho, como se as letras estivessem na ordem errada, ou estivesse faltando uma parte do nome.

Fecho a sombreira e espero que meu pai não tenha me visto tremer.

Os médicos me remendaram com barbante. Nem me lembro dos pontos, a não ser quando me mexo rápido demais e a dor entra em erupção. Eles bombearam meu corpo com água com açúcar também, e refeições servidas em bandejas de plástico divididas em cinco retângulos. O cérebro estava tomando uma droga, e o corpo, outra; esta mão enfiou comida na minha boca rápido demais para contar as garfadas. Eles me remendaram, mas não usaram nós duplos. Minhas entranhas estão escorrendo por linhas defeituosas na minha pele. Eu posso senti-las, mas, toda vez que olho os curativos, eles estão secos.

Coloco o meu eu de volta ao corpo no banco do passageiro do carro do meu pai.

— Cadê a Emma? — eu pergunto. — As férias de inverno não começam hoje?

Meu pai aperta um botão no painel. O som alto demais de um trompete de jazz nos atinge. Tento alcançar o botão do volume, estremeço, e abaixo o som.

Ele dirige por vinte e quatro quilômetros sem dizer uma palavra.

Quando ele sai da estrada principal, não vira à direita. Ele vira à esquerda, segue em direção ao norte, e para a linha escura das nuvens de tempestade que trazem mais neve para o topo do mundo.

— Aonde estamos indo?

— Estou levando você para casa.

— Mas o caminho não é esse.

Os dedos dele apertam o volante.

— Você vai ficar com a sua mãe até ser internada.

— Não, pai, por favor! Mas e a Emma? Ela quer que eu faça mais biscoitos de gengibre com ela e precisa de ajuda para embrulhar os presentes e vamos cantar músicas de Natal na igreja. E eu prometi levá-la para andar de trenó e fazer anjos de neve.

Ele estaciona no acostamento sem nem verificar os espelhos.

— Você não vai ver a Emma até ficar melhor. Talvez isso sirva de incentivo. Se você não quiser tentar por você mesma, então tente pela Emma.

A voz dele falha. Ele funga, engole com força e enfia o pé no acelerador até a agulha do velocímetro decolar para a zona vermelha. Não sei quem é esse homem. Eu me seguro à maçaneta da porta, sem saber se vamos sair vivos dessa.

***

Ele ainda tem uma chave da casa dela no chaveiro com as outras: a do escritório, a da academia, a da casa de Jennifer e de três carros. Ele destranca a porta, entra e espera que eu o siga.

A ~~minha mãe~~ Dra. Marrigan está na biblioteca ditando anotações para seu computador. Quando entramos, ela coloca o dedo em riste para que possa terminar de relatar detalhes sobre a última revascularização quádrupla das artérias coronárias que fez em um cara que passou os últimos quarenta anos comendo hambúrgueres.

Meu pai leva minhas malas para o ~~quarto de hóspedes~~ meu quarto. Quando ele desce, parece por um minuto que a ~~minha mãe~~ Dra. Marrigan vai dar uma gorjeta para ele como se ele trabalhasse em um estacionamento ou hotel.

— Você já combinou a carona dela para a Dra. Parker amanhã? — ela pergunta.

— Jennifer vai pegá-la à uma hora e trazê-la de volta depois da sessão. — Meu pai fecha o zíper da jaqueta e coloca as luvas. — Você já arranjou tudo para a parte da manhã?

— Por que a Jennifer tem que me levar? — pergunto. — Eu posso ir dirigindo, se você me emprestar um carro.

Eles nem olham para mim. Não estou na sala, aparentemente.

A ~~minha mãe~~ Dra. Marrigan faz que sim com a cabeça para o ~~meu pai~~ Professor Overbrook.

— Uma das minhas enfermeiras, a Melissa, vai ficar aqui da hora em que eu sair até a Jeniffer chegar. Ela pode ajudar também depois do Natal, quando não estiver trabalhando. Quinze dólares por hora, em dinheiro.

— Que bom — ele comenta.

— Você me arrumou uma babá? — pergunto.

Eles não reagem. Ainda não estou aqui.

— A que horas ela volta? — minha mãe pergunta.

— É uma consulta de duas horas, então com o trânsito talvez às quatro e meia, ou quinze para as cinco — meu pai confirma. — Você já vai estar em casa a essa hora, certo?

A ~~minha mãe~~ Dra. Marrigan arruma a pilha de revistas médicas sobre a mesa de centro. — Não até às sete horas. Amanhã é véspera de Natal; Melissa vai para a casa do irmão quando a Lia sair à uma hora. Não posso pedir para ela voltar.

Ele faz cara feia.

— Acho que a Jen pode ficar.

— Se estiver tranquilo, saio mais cedo — ela responde.

— Seria melhor.

Ele me beija na bochecha tão de leve que mal posso sentir. Sai pela porta da frente e demora para trancar a porta.

— O cobertor sobre o sofá está ligado na tomada e aquecido — a ~~minha mãe~~ Dra. Marrigan avisa. — Tem uma tigela de sopa aí também, de carne com cevada. Enquanto você faz a sopa desaparecer, vou explicar como é que vai ser daqui para frente.

— Então agora você está falando comigo, né? — pergunto.

— Estarei lá em um minuto, assim que terminar isso.

Depois de mais de dez minutos ditando, ela vem e se empoleira na ponta do outro sofá, sentada o mais reta possível, como se estivesse equilibrando uma coroa sobre a cabeça. Ela espera que eu tome a iniciativa.

— Quero voltar para a casa do meu pai e da Jennifer.

Ela se estica para a esquerda para acender a luz. O Sol se põe cedo no fim do ano.

— Todos concordamos que você deveria ficar aqui — ela explica. — A New Seasons ligou para confirmar sua internação na semana que vem. — Ela tira o pó do abajur. — Eles estão com as suas fichas do hospital e vão fazer uma reunião com a Dra. Parker depois da sua consulta com ela amanhã.

— Eu tenho 18 anos. O que digo para ela é informação particular.

— Não se o tribunal decidir que você é um perigo para si mesma e para os outros.

— Quando isso aconteceu?

— Eu já operei metade dos juízes desse condado, Lia. Se isso precisar acontecer, então vai.

Eu não tenho 18 anos, tenho 12, presa em uma sapatilha de ponta e dançando o *pas de mãe* de novo, ela sentada nas coxias do palco, me dizendo o que estou fazendo de errado.

O vapor se enrosca sobre a superfície da sopa.

— Aquele lugar não me ajudou antes. É inútil me mandar de volta para lá.

— Foi isso que seu pai disse.

— Ele disse isso?

— Ele mudou de ideia sobre algumas coisas, depois do que você fez. Ele está finalmente admitindo como a situação é desesperadora, mas não acha que o tratamento vai funcionar.

Não consigo me conter.

— Por que não?

— Porque você não quer melhorar. Ele diz que nada vai funcionar até você querer ficar saudável e ter uma vida normal. Eu quase concordo com ele.

— Então por que me fazer ir? — pergunto. — Por que jogar esse dinheiro fora?

— Porque se você não for, você vai morrer.

— Você está exagerando.

Envolvo a tigela de sopa com as mãos e me inclino em direção ao vapor, faminta pela dor ardente dos pontos. Pego a colher e mexo a sopa. Os legumes e a cevada vêm à tona. A Vovó fazia essa sopa, mas não posso me deixar experimentar. A primeira colherada derreteria a camada de gelo que me mantém suspensa sobre um buraco aberto.

Largo a colher e escondo as mãos debaixo do cobertor.

— Por que você deixa a casa tão fria? — As palavras saem alto demais, como se o meu botão de volume estivesse quebrado.

— Você não tem gordura corporal o bastante para manter sua temperatura. A solução é comer alguma coisa nutritiva de algumas em algumas horas. É muito simples.

— Não preciso comer de algumas em algumas horas. Meu metabolismo é lento.

— Seu metabolismo ficou lento porque seu corpo acha que você está passando fome o tempo todo. Ele está se segurando a cada grama que pode para manter você viva.

Meus pulsos ficam cerrados longe dos olhos dela.

— Você está deixando meus problemas totalmente fora de proporção para não precisar entender por que é tão infeliz.

— Pare de mudar de assunto.

— Pare de me ameaçar. É a minha vida. Eu posso fazer o que quiser.

Minha mãe dá um tapa na mesa de centro.

— Não se você estiver se matando!

O vento passa gritando pelas portas de folha dupla e sopra entre nós, me fazendo tremer. Ela se levanta e anda para lá e para cá. Eu olho fixamente para uma mancha desbotada de tinta na parede.

— Qual é o objetivo desse comportamento irracional? — ela pergunta, de costas para mim. — O que você está tentando provar?

— Você acha que eu gosto de assustar a Emma e deixar vocês tão bravos a ponto de nem quererem olhar para mim?

Ela se vira. — Não sei. Não entendo nada do que você faz. Tome a sopa.

Eu puxo o cobertor até o queixo.

— Você não pode me forçar.

Ela fecha as cortinas pesadas. Isso corta a corrente de ar e me deixa nas sombras. Ela liga mais duas luzes antes de respirar fundo e se sentar de novo.

— Seu corpo quer viver, Lia, mesmo que a sua cabeça não queira — ela explica. — Seus números voltaram ao normal bem rápido no hospital; as funções hepáticas melhoraram, o intervalo QT melhorou, os níveis de fosfato e cálcio melhoraram. Você é forte e digo isso da melhor forma possível, falando como médica.

Couro forte, mancha teimosa, ácido que enferruja e faz o prédio desmoronar.

— Se você não comer, não vou enfiar comida na sua garganta, apesar de ser tentador. Mas você tem que se manter hidratada. Se você restringir fluidos, vai ser colocada na ala psíquica do hospital. Na hora. Já conversei com a Dra. Parker e consultei o promotor sobre a papelada.

— Vou te odiar para sempre se você me jogar em um hospício.

— Você tem que tomar os remédios também, todos. — Ela arranca fibras do cobertor do sofá. — Melissa ou eu vamos ficar de olho por uma hora depois que você tomar todos para garantir que eles entrem no seu sistema. Vamos medir quantos mililitros de líquido você toma e quantos você excreta.

— Você vai medir meu xixi?

— É a melhor forma de garantir que você fique hidratada. Tem um coletor de plástico de urina no banheiro lá de baixo.

— Mas isso é ridículo. Não estou tão doente assim.

— A incapacidade de avaliar racionalmente a sua situação é um resultado da má nutrição e da química cerebral alterada.

— Odeio quando você fala como um livro de escola.

Ela se inclina para frente.

— Odeio quando você prefere passar fome. Odeio quando você corta a sua pele e odeio quando você se afasta de nós.

O vento sopra tão forte contra as portas de vidro que as cortinas balançam.

— Eu odeio isso também — sussurro. — Mas não consigo parar.

— Você não quer parar.

O veneno na voz dela choca nós duas.

Ela se levanta de novo e pega o cobertor rapidamente, fungando com força e engolindo lágrimas. Primeiro acho que ela vai sair andando, talvez colocar o cobertor no armário ou na máquina de lavar. Mas não. Ela estende o cobertor sobre o cobertor elétrico sob o qual eu me escondo, colocando as pontas ao redor dos meus ombros e quadris.

— Desculpe — ela pede. — Foi maldade.

— Você foi sincera — digo. O peso do cobertor é doce. — A Dra. Parker aprovaria.

Por um momento, o vento para. A casa está silenciosa, esperando que eu conte para ela.

Eu poderia tentar. Talvez não tudo. Talvez só os nomes, as palavras ruins

estúpida/feia/estúpida/vaca/estúpida/gorda/
estúpida/criançona/estúpida/estúpida/estúpida/estúpida

que me esfaqueiam quando penso em comer um pão de canela ou uma tigela de Blueberryqualquercoisa. E então existe a questão de estar presa entre dois mundos sem bússola, nem mapa.

Ela alisa minha bochecha com as costas da mão e se inclina para frente, mas não me beija. Ela cheira minha cabeça uma vez, duas, três.

— O que você está fazendo? — pergunto.

Ela se senta ao meu lado.

— Quando estava na faculdade de medicina, lemos sobre um estudo no qual as mães conseguiam identificar seus bebês pelo cheiro um dia depois que nasciam. Pensei que fosse besteira.

— É verdade?

— Já te conhecia pelo cheiro em questão de horas. Aquilo me confortava, era quase como uma droga. Eu amava o cheiro da minha filha. Cheirava a sua cabeça o tempo todo quando você era bebê.

— Mãe, que estranho. E se eu acho que é estranho, então você deve ter algum problema.

— Eu dormi por meses e meses com o seu travesseiro depois que você saiu daqui, fingindo que ainda podia cheirar você. Idiota, né?

Eu engulo com dificuldade.

— Na verdade, não.

— Quase morri quando você foi embora.

— Mas eu tinha que ir.

— Eu sei. — Ela olha para suas mãos mágicas. — Minha única filha estava morrendo de fome e eu não conseguia ajudá-la. Que tipo de mãe isso me torna? Eu estava perdida. — Ela respira fundo. — Eu queria você aqui, mas não queria você aqui. Eu queria você longe da Cassie porque ela estava destinada a ter problemas sérios. Você estava determinada a ficar com ela, não importava o que acontecesse. A Cindy me contou quando a Cassie acabou com a amizade de vocês. Fiquei tão feliz que quase saí dançando pela rua...

— Eu tenho cheiro de *cookies*? — interrompo.

— O quê?

Limpo a coceira da minha garganta.

— Estou com cheiro de *cookies*? A minha cabeça, quero dizer. Minha cabeça tem cheiro de gengibre e cravo e açúcar?

O sorriso dela foi reconfortante e verdadeiro. — Não, de jeito nenhum. Sempre achei que você tinha cheiro de morangos frescos. Isso é estranho, também?

Nenhuma de nós ousa respirar, porque estamos ambas no mesmo espaço e ao mesmo tempo, mamãe e Lia, sem telefone, nem bisturis, nem palavras que queimam. Nenhuma das duas quer quebrar o feitiço.

— Não — respondo. — Não é estranho, é doce.

No jantar eu tomo um fluido de reposição de eletrólitos que tem gosto de cheiro de banheiro de hospital (= ? Minha mãe arrancou o rótulo e fez os cabos do computador desaparecerem para eu não conferir os números). Como uma banana pequena (90) também. Tem gosto de banana.

Minha mãe come uma salada Caesar com frango e gotículas de molho e dois pedaços de pão de centeio. Ela assiste a um documentário sobre a Coreia do Norte enquanto eu finjo ler. Quando acaba, ela dá uma olhada nos meus pontos, verifica meu pulso e pressão sanguínea e me dá os remédios, até meu comprimido para dormir. Aposto que ela toma um também. Como ela poderia adormecer sem ver todos aqueles corpos fatiados e abertos e corações pulsando?

Caio no sono antes de estar pronta para isso e acordo no meio da noite, confusa de novo sobre onde estou e por que e quem. Mil dedos se aproximam de mim atravessando meu colchão, cutucando minha pele para arranhar meus ossos. Pulo da cama e ando de um lado para o outro para me livrar dessa sensação. Do outro lado da rua, na casa de Cassie, uma matilha de lobos está cavoucando ao redor das roseiras, procurando corpos para comer e ossos para triturar. Não sei mais quando estou acordada ou dormindo, nem o que é pior.

[052.00]

Os ventos mudaram de direção durante a noite. Em vez de ir para o oceano, a tempestade de inverno está presa sobre o coração de New England. Devemos ter pelo menos meio metro de neve hoje. Fico pensando se deveria ligar e pedir para alguém levar Emma para andar de trenó. Mira, talvez. Ou Sasha. Será que elas atenderiam ao telefone se soubessem que sou eu ligando?

Pensar na Emma me faz querer arrancar os pontos com um alicate. Eles deveriam me queimar em uma fogueira pelo que fiz com ela. Deixar-me à deriva em uma placa de gelo. Eu queria que existisse um jeito de fazê-la se esquecer daquilo que viu, de limpar a memória dela. Mas não há sabão nem água sanitária suficiente no mundo.

Eu não teria que usar um alicate. Poderia cortar os pontos com um cortador de unha e puxar as linhas até esse corpo cair aos pedaços. Minha mãe me chama. Desço as escadas.

Melissa, ~~o cão de guarda~~ a enfermeira, chega quando estamos tomando café (metade de uma toranja = 37, torrada sem nada = 77), uma caneca gigante da bebida de eletrólitos (=?) e comprimidos bonitinhos (= lençóis de veludo branco enrolados ao redor do meu cérebro). Ela é só alguns anos mais velha que eu, mas já tem aquelas marcas na testa de nem-pense-nisso que as boas enfermeiras ganham por sempre fazerem cara feia.

Uma hora depois, mijo quinhentos mililitros de água amarela. Melissa fica de olho em mim no banheiro.

— Você não está ganhando o bastante para isso — digo.

Ela passa o relatório de fluido para o consultório da ~~minha~~

~~mãe~~ Dra. Marrigan por telefone.

Estou morrendo de vontade de saber quanto estou pesando. Não há balanças aqui e eles não me contaram no hospital. Eles enfiaram substâncias viscosas demais em mim, aposto que ganhei uns 4,5 quilos. Minha pele coça com a gordura nova. Ela vai se abrir e descascar. Melissa me dá creme para a pele e fica de olho enquanto passo o hidratante nos braços e nas pernas.

Eu me enfio debaixo de uma montanha de cobertores pelo resto da manhã.

Jennifer me leva de carro até o consultório da Dra. Parker sem dizer uma palavra. Eu não a culpo. Eu também não falaria comigo, se fosse ela. Aposto que está com medo de que, se abrir a boca, não vai conseguir parar de gritar comigo por dias e dias e que isso tudo ainda por cima atrapalharia o Natal.

Ficamos atrás de um caminhão limpa-neve o caminho todo, os limpadores de para-brisa ligados no "máximo", as mãos segurando o volante com tanta força que os nós dos dedos dela estão brancos. A neve torna impossível dizer se estamos indo para baixo ou para cima, ou ver qualquer coisa até estarmos prestes a bater o carro.

Ela finalmente entra no estacionamento do consultório e para perto da guia.

— Então — eu tento. — Quatro horas, certo?

Ela faz que sim com a cabeça uma vez, os olhos fixos na tempestade.

— E, hum, eu vou lá na manhã de Natal? Para abrir os presentes?

— Peça para a sua mãe me ligar. — Ela liga o aquecedor no máximo.

— Tá bom. — Eu abro a porta.

— Espere. — Jennifer segura meu braço. Pela primeira vez desde que me amarraram à maca, ela me olha nos olhos. — David não quer que eu diga isso para você, mas azar o dele. Eu amo você, Lia. Quando me casei com o seu pai, jurei amar você como se fosse minha própria filha. Mas você machucou a minha menininha.

Ela está tremendo de raiva.

— Você machucou a Emma morrendo de fome por vontade própria, e você a machucou com suas mentiras, e brigando com todo mundo que tenta te ajudar. A Emma só consegue dormir algumas horas por noite agora. Ela vive assombrada por pesadelos de monstros que comem a nossa família toda. Eles comem a gente devagar, ela diz, para que todos sintam seus dentes afiados.

Meu coração passa do ponto morto para a quarta marcha, rodando como um carro de corrida escorregando na pista.

— Eu...

Ela solta meu braço e cobre minha boca com a mão dela. — Quieta. Quero que você entre ali e conte a verdade para aquela mulher. Conte para ela o que está se passando na sua cabeça e por que você faz essas coisas. Diga a ela que há uma grande chance de você não ir morar mais com o seu pai, e que então é melhor descobrir um jeito de se dar bem com a sua mãe.

— Eu não posso voltar?

— Não posso deixar que você destrua a Emma também. Não vou deixar.

Ela se vira para frente de novo, a máscara de madrasta suburbana parafusada firmemente sobre o rosto.

— Quatro horas. Talvez um pouco mais tarde, dependendo das estradas.

[053.00]

A recepcionista, Sheila, não está em sua mesa. Provavelmente saiu para fazer a ceia de Natal. Grudo a orelha sobre a porta fechada do consultório da Dra. Parker; alguém está chorando do outro lado. A voz de Parker murmura alguma coisa, e então vem o "tim!" irritante do cronômetro da sessão.

Fico olhando fixamente para o chão enquanto o paciente que estava chorando passa pela sala de espera e abre a porta para a tempestade lá fora, ainda fungando e soluçando.

A Dra. Parker sempre vai ao banheiro entre as sessões e às vezes faz um intervalo para meditar. Vai demorar pelo menos cinco minutos para ela me chamar. Eu vim preparada, armada com meu tricô. Preciso terminar esse cachecol/xale/cobertor para poder começar a fazer alguma coisa para a Emma — uma touca, talvez, ou um suéter para o elefante de pelúcia dela.

Olho pela janela. Um carro está preso no estacionamento. O motor arranca enquanto o motorista faz as rodas girarem, pisando no acelerador mas não saindo do lugar. Os caminhões limpa-neve se arrastam pelas ruas, as correntes tilintando, lâminas mandando faíscas para o ar enquanto raspam o gelo das estradas. Tudo está enterrado sob a neve. Parece um mundo diferente.

— É um saco, né? — comenta Cassie.

Meu coração bate com tudo contra as minhas costelas.

Ela está sentada do outro lado da sala, os pés sobre a mesa de centro, a revista sobre o colo aberta na página de palavras cruzadas. Ela está vestida para o inverno: o vestido azul do caixão, jaqueta cinza de esquiar, touca de crochê com luvas combinando na cadeira ao lado dela, botas úmidas decoradas com uma barrinha de pele.

— Eles nunca te deixam em paz. É sempre esse negócio de "fale com a psicóloga, converse com a sua mãe, faça aquilo que te mandam fazer, por que você não pode ser adulta?". — Ela escreve algumas letras na palavra cruzada e depois as apaga. — Número treze na vertical. Você conhece alguma palavra de cinco letras para "contrato"?

— Por que você não me deixa em paz?

— Eu tenho saudade.

O fundo da minha garganta tem gosto de que posso desmaiar em alguns segundos. Eu me apoio na mesa de Sheila e belisco um dos cortes entre as minhas costelas. A dor me acorda como uma arma de choque.

— Você sabe o que a Emma viu, certo?

Cassie escreve uma resposta na palavra cruzada.

— "Pacto" talvez caiba. Talvez.

— Não consigo acreditar que fiz aquilo com ela.

— Você não merece viver. — Ela fala isso como se estivesse me dizendo qual par de jeans veste melhor. — Use uma faca maior da próxima vez. Corte mais fundo. Acabe logo com isso.

— Eu acho que não quero morrer.

Ela dá risada.

— Aham, falou. Você não consegue nem comer uma tigela de cereal sem ter um faniquito. Você acha mesmo que um dia vai conseguir fazer alguma coisa difícil, como, sei lá, ir para a faculdade? Ou arrumar um emprego ou morar sozinha? E fazer compras no supermercado? Úúúú... que medo!

A Dra. Parker dá a descarga no banheiro.

Eu me movo lentamente em direção à porta.

— Por que você está sendo tão malvada?

— Amigas contam a verdade para suas amigas.

— É, mas não para acabar com elas. É para ajudar.

Em um instante ela está na cadeira perto da janela. No próximo, está de pé na minha frente, bem perto do meu rosto, baixando a temperatura para abaixo de zero. A pele dela é áspera como a de uma estátua de cemitério. O cheiro dela me sufoca.

— Você quer que eu ajude você, Lia-Lia?

Será que dá para matar uma fantasma enfiando uma agulha de tricô no coração dela? Ou pelo menos mandá-la de volta para a terra, onde ela deveria estar?

— Ajudar você como você me ajudou? — ela estica a última palavra até chacoalhar na garganta. — Então que tal isso? Você não é magra. Você é uma baleia cheia de pus. Sua mãe se arrepende de não ter dado você para adoção. Seu pai no fundo acha que você não é filha dele. As pessoas riem de você quando a sua gordura balança. Você é feia. Você é burra. Você é chata. A única coisa que você consegue fazer direito é passar fome, mas agora nem isso pode fazer. Você é um lixo. — Ela pisca. — E é por isso que eu te amo. Venha logo, tá?

A Dra. Parker abre a porta. — Pronta?

[054.00]

Ela liga o aquecedor e me dá um cobertor de emergência para colocar sobre aquele cobertor cabeludo horroroso.

— Sinto muito que está tão frio. Eles precisam mesmo trocar essas janelas.

Eu me enrolo como uma bola no sofá, segurando meu tricô com força sobre a barriga.

Ela assume sua posição à mesa. — Você passou por maus bocados. Estou muito feliz que esteja aqui. Imagino que os pontos devem estar doendo.

É aqui que fecho a boca por quinze minutos, ou arranco a penugem branca dos meus braços. Mas meu coração está cheio de veneno e inchando, se jogando contra a minha caixa torácica com tanta força que meus dentes estão batendo e meus pontos querem se abrir.

— Parece que eles bombearam um oceano todo para dentro de mim — dizem meus lábios.

— Por causa dos fluidos intravenosos? — ela pergunta.

— Eu me arrasto toda vez que me mexo.

— Você estava muito desidratada. Você parou de tomar líquidos mesmo, até água?

Eu tiro o tricô da bolsa. Tricota, tricota, e dá um nó.

— Eu não me lembro. Talvez.

— E como estão os cortes?

— Os pontos doem mais que os cortes. O médico deu pontos demais. Eu mal posso me mexer sem arrebentar tudo.

Ela deixa passar um minuto de silêncio, e então pergunta:

— Posso ver os pontos?

— Não — respondo. — Ainda não.

Ela faz que sim com a cabeça.

— O que mais está incomodando você?

— Esse cheiro está me deixando maluca.

"Droga". Eu não ia dizer isso.

— Que cheiro?

Coloco as agulhas sobre o colo e fico vendo enquanto o fio se enrola em minhas mãos.

— Você não consegue sentir esse cheiro, né?

Ela faz que não com a cabeça lentamente, com medo de assustar essa garota faladeira que está coberta pela minha pele.

— Você pode descrever esse cheiro?

— Primeiro eu pensei que fossem *cookies*, *cookies* de Natal, e que eu estava sentindo esse cheiro porque meu cérebro idiota estava tentando me fazer comer. Mas não é isso. É a Cassie. Quando eu sinto esse cheiro, ela está por perto.

— Cassie, a sua amiga que morreu no mês passado.

— Gengibre, cravo e açúcar, como se fossem biscoitos queimados. No começo era legal. O cheiro me fazia lembrar dela. Mas agora me assusta.

— Não estou entendendo.

"Ai, meu Deus. Ai, meu Deus." Estou no topo da montanha mais alta. O chão congelado está tremendo, um terremoto, o mundo sob mim se abrindo em fogo, braços de aço prontos para me puxarem para baixo.

Preciso me mexer. Não posso mais ficar aqui.

Eu me jogo da montanha e abro minha boca.

Falo sobre o enterro da Vovó Marrigan e das sombras que pairavam sobre as superfícies das coisas desde então. Conto para ela sobre como vi fantasmas nas vitrines de lojas e espelhos antigos e como a maioria deles é bem boazinha, mas não todos.

À medida que meus lábios se movem, a sala fica comprida e estreita, como se as paredes de borracha vermelha estivessem sendo puxadas por mãos gigantescas. A voz da Dra. Parker encolhe enquanto a mesa dela fica cada vez mais longe de mim.

— Os fantasmas assustam você?

— A Cassie me assusta.

Os fios se enrolam ao redor das minhas mãos com força, até meus dedos ficarem roxos.

— Você pode falar sobre isso?

Eu conto para ela. Eu conto para ela todasasmalditashistóriasdaCassie, como ela se sentou sobre o caixão, como ela ficou de olho em mim naquela noite, como ela entrou na minha cabeça, assombrou cada passo meu, fez nevar na farmácia. Como eu parei de tomar meus comprimidos, tomei comprimidos a mais, malhei horas e horas a cada noite, parei de comer, parei de tomar líquidos, cortei e cortei para fazê-la desaparecer, para fazer tudo desaparecer. Como nada funciona. A chuva cai, cai e despenca no meu rosto, quase me afogando.

A Dra. Parker mantém seus olhinhos de aranha fixos nos meus, persuadindo as palavras permanecendo imóvel no meio de sua teia, quase não respirando. Eu falo até minha garganta ficar vazia e minhas mãos, dormentes.

Ela sai de trás da mesa e gentilmente desenrola o fio. O sangue volta queimando para os meus dedos. Ela seca minhas lágrimas com um lenço macio e se senta ao meu lado.

— Quem mais sabe disso?

— Ninguém. Não, espere aí, não é verdade. A Cassie sabe.

— Você nunca contou para os seus pais que vê fantasmas? Nem quando era mais nova?

— Nem pensar. Minha mãe teria me dito para não fazer drama. Meu pai teria sugerido para eu pensar em estudar poesia na faculdade, talvez planejar um doutorado em Estilo Gótico. Eles nunca me escutam, eles mal conseguem me enxergar. Sou uma boneca e eles já estão velhos demais para brincar comigo.

A Dra. Parker tira uma bala de cereja do bolso da blusa de lã, a desembrulha e a coloca na boca. Ela estuda a bala com os dentes por um minuto. Lá fora, a neve se empilha cada vez mais alto.

Finalmente, ela fala. — Por que você está me contando tudo isso hoje?

Engulo com dificuldade. Já estou fora de mim. Não vai fazer diferença contar tudo.

— A Cassie está tentando me matar. Ela diz que eu estou presa entre os vivos e os mortos, e ela me quer na equipe dela. Ela está na sua sala de espera agora mesmo, fazendo uma palavra cruzada.

— Você a viu lá? — A Dra. Parker esfrega as costas da minha mão com as pontas dos dedos.

— Eu já falei para ela me deixar em paz. Mas ela não me deixa.

"Tim!" O cronômetro cala-a-boca-agora me interrompe.

Ela aperta os lábios e se levanta, lentamente, alongando os músculos das pernas e das costas.

— Você está vendo a Cassie agora?

— Não, ela não está aqui, ela está do outro lado daquela porta. Ou estava. Vá ver a palavra cruzada. Ela errou a número treze. Ela escreveu "pacto", mas era "acordo".

Enquanto explico, a Dra. Parker coloca água em um copo de isopor e o coloca no micro-ondas.

— Você pode ver a revista. — Coloco a lã na bolsa. — Não estou inventando isso; não estou tendo alucinações. É tão real quanto o sangue nos meus curativos, ou essa bala de cereja na sua boca.

— Não há como provar quem completou a cruzadinha — ela insiste.

— Mas eu falei que ela errou.

Ela tira o copo do micro-ondas, coloca um saquinho de chá lá dentro, um envelope de açúcar, e mexe com um palitinho de plástico.

— Você poderia ter visto isso quando estava folheando a revista, ou foi você quem errou a palavra.

— Pode ser.

Ouço vozes na sala de espera, o próximo paciente desesperado o bastante para vir na véspera de Natal e no meio de uma tempestade de neve.

A Dra. Parker me passa o copo de chá.

— Chá — ela diz. — Sempre ajuda.

Dou um gole. Tem gosto de cascas de lápis apontado com açúcar.

Ela se senta à sua mesa de novo e pega uma caneta.

— Estou muito orgulhosa de você, Lia. Você conseguiu avançar hoje muito mais que em dois anos. — Ela faz uma anotação no bloco de papel amarelo. — Eu tenho sua permissão para discutir essa sessão?

Assoo o nariz.

— Claro, por que não?

— Obrigada. Quero falar com o diretor da New Seasons sobre isso. Talvez a gente tenha que desenvolver um plano diferente de tratamento. A clínica pode não ser o lugar certo para você.

Eu assoo o nariz.

— Eu posso ficar em casa e ser tratada como paciente externa?

Ela faz mais uma anotação antes de falar.

— Não. Não foi isso que eu disse.

Alguma coisa na voz dela me faz congelar, minha mão no ar, tentando alcançar outro lenço de papel.

— Eu não estou entendendo.

— Eu acho que a gente deveria considerar uma clínica com tratamento psiquiátrico.

Alguma coisa faz barulho lá fora, um trovão no meio da neve. As janelas chacoalham. Ela continua falando como se fosse uma coisa normal, como se ela estivesse acostumada a jogar menininhas assustadas em hospícios.

— Você merece o melhor — ela continua. — Um pessoal treinado que sabe como trazer sua mente de volta ao equilíbrio. Quando as alucinações e ilusões estiverem sob controle, vai ficar mais fácil para você trabalhar as questões de autoimagem e os relacionamentos que provocam tanta dor.

— Você acha que eu estou inventando — digo. — Você não acredita que eu vejo fantasmas.

— Eu acredito que você criou um universo metafórico no qual você pode expressar seus maiores medos. Por um lado, eu acredito em fantasmas, mas eles são criados por nós. Nós nos assombramos, e às vezes somos tão bons nisso que perdemos a noção da realidade. — Ela se levanta. — Eu odeio ter que parar agora, mas tenho outro paciente me esperando. Você deveria se orgulhar mesmo, Lia. Você fez um grande avanço hoje. Como você vai para casa?

— Jennifer.

Ela abre as cortinas e olha para o estacionamento.

— Um jipão preto, certo? Mas acho que ela ainda não chegou.

— Ela odeia dirigir nesse tempo.

— Tenho certeza de que ela estará aqui daqui a pouco.

~~Desculpe aí, mas dois minutos atrás você disse que ia recomendar que eu fosse para um hospício em tempo integral, um lugar para gente louca, só porque eu finalmente contei a verdade?~~

— Antes tarde do que nunca.

Eu a sigo para a sala de espera, onde uma mãe muito louca da vida está gritando em cochichos com sua filha, que pelos olhos está prestes a matar alguém. A Dra. Parker as leva para dentro da sala.

— Se cuide, Lia — ela me diz. — Eu ligo para você amanhã.

[055.00]

A Cassie desapareceu.

Eu abro a revista na página da palavra cruzada. Número treze, vertical, *pacto*. Número 15, horizontal, *Cassandra*. Número sete, horizontal, *Lia*. Nossos nomes não são as respostas para as dicas, mas cabem nos quadradinhos.

A Dra. Parker ia adorar isso. Ela quer me ver em um quadradinho do tamanho de um diagnóstico. Ela vai me colocar lá para todo mundo ficar me encarando e me cutucar pelas barras.

***

Eu conheci três garotas na New Seasons que tinham ficado presas na ala psiquiátrica: Kerry, Alvina e Nicole. Elas me contavam histórias de terror enquanto a gente fazia abdominais nos chuveiros, flexões e polichinelos à luz da Lua às três da manhã. As paredes acolchoadas eram de verdade, elas disseram. E as faixas acolchoadas para segurar as pessoas que queriam ir além dos limites. A neblina dos medicamentos era tão grossa que elas esqueceram seus nomes, e havia gente gritando nos corredores, e luzes que jamais se apagavam. Não era nem de manhã, nem de noite, nunca, Kerry contou. Nunca.

Seria pior que as mulheres adultas que moravam no nosso corredor, mas não falavam muito com a gente? Garotas geladas que já tinham 25, 30, 57 anos, andando por lá em suas caixas torácicas de garotas de 11 anos, cavernas vazias com olhos sangrando sendo arrastadas de um tratamento para o próximo, sempre sendo pesadas, nunca pesando o bastante. Uma hora o vento as levará para longe. Ninguém vai notar.

Um carro entra no estacionamento. Não é a Jennifer. Eu poderia chegar em casa mais rápido se fosse andando; mas já estou meio congelada e cansada.

Estudo os diplomas na parede. Eu assustei a Dra. Parker. Ela não pode admitir que meus fantasmas existem. Se admitisse, isso destruiria a versão dela daquilo que é real. Se eu estiver certa, então as ideias dela de trauma e alteração comportamental, a capacidade de discurso sobre o próprio comportamento e solução de uma questão são todas falsas. Ficção. Historinhas para a hora de dormir para pacientes agitados que precisam tirar uma soneca.

Nós duas temos razão.

Sim, os mortos andam e assombram e se enfiam na sua cama à noite. Os fantasmas se infiltram na sua cabeça quando você não está olhando. As estrelas se alinham e os vulcões dão à luz pedacinhos de vidro que preveem o futuro. Frutinhas venenosas tornam garotas mais fortes, mas às vezes as matam. Se você uivar para a Lua e jurar sobre o seu sangue, vai conseguir tudo o que desejar. Mas tenha cuidado com aquilo que deseja. Sempre existe um preço.

A Dra. Parker e todos os meus pais vivem em um mundo de papel machê. Eles remendam problemas com tiras de jornal e um pouco de cola.

Eu moro nas fronteiras. A palavra *fantasma* soa como *lembrança.* A palavra *terapia* quer dizer *exorcismo.* Minhas visões fazem eco e se multiplicammultiplicam. Eu não sei como descobrir o que elas significam. Não sei dizer onde elas começam ou se terminarão.

Mas sei uma coisa. Se eles encolherem mais a minha cabeça, ou me fizerem flutuar para longe em um oceano de comprimidos, não volto nunca mais.

[056.00]

Eu uso o telefone da mesa da recepcionista. O celular da Jennifer vai direto para a caixa postal. O do meu pai também. A Dra. Marrigan ainda está no hospital, então nem vale a pena tentar.

A neve cai tão rápido que é difícil ver as luzes dos postes. Sombras de carros se arrastam pelo gelo, pequenas montanhas sobre seus capôs. Jennifer entra em pânico na neve, sempre acha que as rodas estão escorregando e que a traseira do carro vai patinar. Mas ela prometeu. Ela vai vir me buscar, me levar para a casa da minha mãe, onde não tem árvore de Natal porque dá trabalho demais. Vou ingerir fluidos e excretá-los em um contêiner de plástico. Minha mãe vai fazer ligações e receber ligações e o que for preciso para me manter trancada em calabouços de ferro.

A neve cai rápido o bastante para nos sufocar.

Eu ligo para um táxi. Ofereço pagar o dobro da corrida por causa do tempo.

O cara aparece em dois minutos. Nem sinal da Jennifer. Eu entro no carro, digo ao motorista o que quero. Ele se desculpa pelo aquecedor, que não está funcionando. Eu falo que não tem problema.

O táxi para no banco. Eles me deixam entrar, apesar de só faltar um minuto para fecharem.

O táxi para na pizzaria. Eles nunca fecham.

Ele não quer dirigir o caminho todo até o Gateway. Diz que nem sonhando vai conseguir outra corrida de volta para a cidade. E se ficar preso na neve?

Eu quase esfrego as notas de vinte dólares na cara dele e peço para ele correr.

Há uma montanha do tamanho de um carro no estacionamento do motel, um El Camino. O motorista de táxi se recusa a entrar porque o caminhão tira-neve ainda não passou por ali. Eu dou o dinheiro para ele, pego minha bolsa, minha bolsinha com as agulhas de tricô e a pizza, e ando como uma pata no meio da neve.

***

Elijah abre o Quarto 115, a corrente ainda passada na porta. O vento sopra o capuz da minha blusa. — Por favor.

[057.00]

Eu trago a tempestade para dentro nas minhas botas, falando desesperadamente rápido.

— Tá, escute aqui. Meu pai me botou para fora de casa e as regras da minha mãe são insanas.

Ele só me encara. Eu enfio a caixa da pizza nas mãos dele.

— Me dá um exemplo — ele pede.

— Ela me faz mijar em um copinho de plástico toda vez que vou ao banheiro para poder medir quanto fiz.

Ele coloca a caixa sobre a cama.

— Por quê?

— Ela é obcecada com o meu corpo. Sempre foi. Ela me fazia comer tofu quando eu era pequena em vez de comida normal para bebês. Ela me obrigou a fazer balé quando eu tinha 3 anos. Quem é que faz isso?

— Então você veio aqui para fugir por uma noite? Está tirando férias dos seus pais?

Eu tiro minhas luvas de lã.

— Não é bem isso. Quando você vai embora?

Ele pega minhas luvas e as leva para o banheiro.

— Amanhã, se eles tirarem a neve das estradas. Me dê o seu casaco. Vou pendurá-lo no boxe.

Eu desabotoo e tiro o casaco.

— Mas já?

— Ninguém reservou um quarto para o Natal. — Ele leva o casaco para o banheiro, pegando um cabide quando passa pelo guarda-roupa. — Charlie foi para a casa da irmã dele em Rhode Island antes de a tempestade começar. Só tenho que trancar tudo, tirar toda a neve com a pá, e ir para o sul.

Tiro um minuto para respirar e olhar ao meu redor no quarto. As páginas e pedaços de fita adesiva foram descolados cuidadosamente das paredes. As roupas do guarda-roupa e das gavetas foram colocadas em sacos pretos de lixo perto da porta. A pilha de cadernos está no engradado velho de leite.

— Me deixa ir com você — eu tremo. — Eu acabei de esvaziar minha conta no banco. É o dinheiro que ganhei a vida inteira como babá, dinheiro vivo. Eu posso pagar a gasolina e ajudar a dirigir.

— Não sei — ele responde. — Estou acostumado a viajar sozinho.

Ele fala mais, mas meus ouvidos não estão funcionando. Manchas pretas ameaçam me levar para o chão. Eu não posso desmaiar. Essa é a minha única opção.

— Não sei se você ouviu o que eu disse — tento de novo. — Eu tenho quase mil dólares e um cartão de crédito até meu pai cancelar tudo. Você quer...

::tontura/gravidade/chão/escuridão::

[058.00]

Acordo na cama dele. Totalmente vestida. Debaixo dos cobertores, meus pés estão apoiados tão alto sobre travesseiros que não consigo ver além deles.

Elijah se inclina sobre mim.

— Você está bem? Mas o que foi que aconteceu?

Eu sinto o galo na minha testa.

— Eu devo ter desmaiado. Você não chamou uma ambulância, né?

— Eu deveria?

— Não. — Eu me esforço para me sentar.

— Você está doente?

— Um pouco. — Os pontos pretos dançam em frente aos meus olhos de novo. Eu me deito. — Fiquei no hospital uns dias porque estava desidratada. Ainda estou meio tonta, mas não é nada de mais.

Ele arregala os olhos.

— Você está de brincadeira? Isso é muito sério. Você não pode vir comigo; você nem deveria estar aqui. Se eu acabar com outra garota morta aqui, os policiais não vão querer saber se eu tenho as câmeras de segurança como álibi. Você tem que ir embora.

— Eu não posso ir para casa.

— Não me importa para onde você vai. Só não pode ficar aqui comigo.

Aponto para a janela.

— Você está vendo a tempestade? A polícia não tem gente o bastante para cuidar de todos os acidentes; metade das estradas está fechada por causa de engavetamentos. Eu tenho 18 anos, estou sóbria, não tenho nenhum mandado em aberto. Eles não vão vir atrás de mim, prometo.

— Talvez não, mas seus pais, sim.

— Eles não fazem a menor ideia de que eu esteja aqui. Eu não contei para eles onde você trabalhava, nem como te conheci.

Ele pega o baralho que está sobre a televisão e deixa cair carta por carta de volta para a pilha. Algumas caem no chão, aleatórias.

— Não estou com um pressentimento bom sobre isso.

Ele vai me botar para fora e eu vou precisar ligar para eles e eles vão fingir que estavam preocupados tempo o suficiente para me colocarem em um carro e me levarem para o hospício onde as janelas são pintadas e eu nunca vou saber se é noite ou dia e eles vão me deixar lá até eu esquecer meu nome porque, depois disso, nada mais vai importar.

A chuva cai pelo meu rosto de novo.

— Por favor.

— Não, não faça isso. Não chore. Pare. Odeio ver garota chorando. — Ele vai até o banheiro e vem com um rolo de papel higiênico. — Aqui.

Rasgo um pedaço, seco os olhos e assoo o nariz, mas as lágrimas continuam vazando.

— O que aconteceu? — Ele se ajoelha ao lado da cama para ficarmos na mesma altura. — Que merda está acontecendo?

— Eu pisei na bola — falo baixinho. — Pisei na bola mesmo.

— Você está grávida? Fumando crack? Roubou um banco? Atirou em alguém?

— Eu vou te mostrar.

Eu me sento devagar novamente, e tiro meu moletom, minha blusa de gola alta, e minha blusa de dormir de manga comprida. Enquanto me encarrego da última camada, ele levanta as mãos.

— Não. Espere aí. Não vamos fazer isso. Já não está dando certo. Não mesmo. Espere aí, isso é sangue?

Eu tiro a última blusa, me retraindo.

— Me ajude a levantar.

Ele me deixa apoiar no braço dele. Fico de pé, contando até dez para não desmaiar de novo, e então tiro os curativos e deixo a gaze cair no chão.

Os olhos dele observam os cortes e os pontos, pontas de linha preta saindo de mim como fios quebrados. O roxo subiu para a superfície, cores do pôr do sol se esticando sobre meus ossos rígidos. Ele não vê os meus seios, a minha cintura ou meus quadris. Ele enxerga apenas o pesadelo.

— O que aconteceu? — ele sussurra.

— Eu caí da fronteira do mapa. — Eu me estico para pegar uma blusa e a coloco de novo. É mais macia que os curativos. — Minha irmã me viu fazendo isso. O nome dela é Emma. Ela é que joga futebol, apesar de odiar. Ela tem 9 anos e me adora muito e — espero até minha voz voltar — eu acabei com ela pelo resto da vida. Eu não posso ficar aqui. Eu machuco gente demais.

A neve flutua até o chão, cada floco sem peso nenhum caindo

sobre o outro até que fica pesado o bastante para derrubarem um telhado.

— Posso tocar o seu braço? — ele finalmente pergunta.

— Claro.

Ele pega a minha mão direita na dele e empurra o polegar pelo meu antebraço, ao longo do entalhe entre a ulna e o rádio. Ele curva os dedos ao redor da protuberância do meu cotovelo e faz um círculo com o polegar e o indicador que escorrega facilmente sobre meu bíceps.

— Quanto você pesa? — ele pergunta.

— Não o suficiente. — Eu fungo. — Demais. — Um soluço me escapa. — Eu não sei.

— Coloque a roupa. — Ele me passa minha blusa. — Você pode vir comigo sob duas condições.

— O que é? — Enfio minha cabeça e meus braços, puxo a camisa para baixo e pego a blusa de gola alta.

— Você tem que comer o suficiente para não desmaiar, nem morrer.

— É justo.

— Segunda: você tem que ligar para os seus pais e falar para eles que está a salvo.

— Não. Não posso falar com eles.

— Se você não ligar para eles, então não pode vir.

— Quantas vezes você já ligou para a sua família?

O rosto dele fica tenso.

— Eu não tenho família.

— Você disse que seu pai era um idiota, mas que amava a sua mãe.

— Eu menti. Eu nasci de incubadora. Eu me criei.

O vento sopra a tempestade contra o motel.

— Você disse que não ia mais mentir — reclamo.

Ele olha através de mim para as paredes vazias. — Você quer saber a verdade?

— Quero.

Elijah pega meu moletom, o polegar esfregando o tecido macio de dentro. — Minha mãe morreu. Ela morreu quando eu tinha 15 anos. Meu pai me bateu pela última vez uma semana depois. Ele me expulsou de casa porque eu me defendi. Foi a melhor coisa que ele fez por mim.

Ele me dá meu moletom.

— Ah — é a única coisa que consigo dizer.

— Não estou blefando — ele diz, com os olhos petrificados. — Se você não ligar para eles agora mesmo, vou ligar para a polícia e te denunciar como invasora de propriedade.

Deixo uma mensagem na secretária eletrônica da minha mãe em casa, então vai demorar um pouco para ela ouvir. Eu digo a ela que estou a salvo, com um amigo, e que ligo mais tarde.

Elijah acha um filme de Natal na televisão. A gente assiste em silêncio. Ele come algumas fatias de pizza e aponta para mim. Eu como algumas bordas.

Duas horas e dois comprimidos para dormir mais tarde, eu adormeço. Nada da Cassie na minha cabeça. Nada do fedor da Cassie no meu nariz. Nada de facas, nem cadeados, nem uma única sombra no canto. Tenho bordas de pizza na minha barriga e nem quero esfaqueá-la.

Acordo duas vezes.

Na primeira vez o relógio diz 1:22 da manhã. Estou sonhando

sobre tirar cinzas com uma pá. O cabo da pá é tão quente que eu a derrubo. Abro os olhos. Os comprimidos deixam minha cabeça pesada demais para levantar do travesseiro.

Elijah está sentando à mesinha minúscula perto da janela, cigarro na boca, a sombra brilhante da televisão iluminando seu rosto. Ele embaralha as cartas uma vez, duas, três. Distribui as cartas. Coloca tudo de volta ao baralho e embaralha de novo, uma vez, duas, três. As mangas dele estão enroladas até os bíceps. A tatuagem de homem/monstro no antebraço dele brilha mais forte que a ponta do cigarro. A fumaça sai da pele dele e paira sobre sua cabeça como se ela estivesse pegando fogo. Elijah se torna o monstro na pele ou o monstro se transforma em Elijah; eles trocam de lugar sem parar, tão rápido quanto as cartas distribuídas sobre a mesa: "flash, flash, flash".

Meus olhos voltam para a escuridão.

Na segunda vez em que acordo, o Sol está brilhando pelos buracos na cortina.

Ele foi embora.

[059.00]

Abro as cortinas. O lugar onde o El Camino estava estacionado está parcialmente coberto de neve. Parece que ele ficou atolado duas vezes antes de conseguir sair do estacionamento. Eu deveria ter ouvido os pneus patinando, o motor sofrendo. Eu teria ouvido se não tivesse tomado o segundo comprimido.

Ele não foi embora de vez. Provavelmente foi colocar gasolina e buscar o café da manhã. Nós devíamos ter falado sobre isso ontem à noite. Aposto que conseguiria comer metade de um pãozinho, e talvez um pouco de iogurte.

Eu me enrolo debaixo dos cobertores que têm cheiro de fumaça e volto a dormir.

***

Uma hora da tarde. É Natal, eu acho.

Os caminhões tira-neve já passaram por aqui. Será que ele sofreu um acidente? Ele se perdeu?

Bebo duas xícaras de água quente da torneira até minha cabeça desanuviar. Tomar dois comprimidos para dormir com certeza foi um erro porque demorei tudo isso para perceber que o engradado de leite com os cadernos não está mais aqui. Nem os sacos cheios de páginas e roupas.

Mas ele vai voltar. Ele tem que voltar.

Às duas horas eu ligo a televisão e faço tricô, indo e voltando, indo e voltando, fazendo os meios nós e voltas que juntam tudo nas agulhas compridas. Tricoto a tarde toda. Tricoto motivos para o Elijah voltar. Tricoto desculpas para a Emma. Tricoto nós zangados e pontos malfeitos para cada erro que já cometi, e tricoto pontos molhados e inchados que ficam horríveis. Eu tricoto o pôr do sol. Durmo.

Acordo no escuro, alcanço a luz, me levanto para fazer xixi.

Quando volto, vejo o pedaço de papel debaixo da minha bolsa. Eu o desdobro. Tem uma chave lá dentro e o bilhete dele.

"L...

Eu sei que você está sendo assombrada, consigo ver nos seus olhos. Você tem que prestar atenção às suas visões. Lidar com elas.

Você pode me odiar por roubar o seu dinheiro, mas não por ter deixado você para trás. Sua família quer te ajudar. Eles amam você.

Não é certo fugir disso.

Paz,

E

P.S.: Essa chave abre o escritório. A máquina de doces e salgadinhos está destrancada. Não coma os biscoitos de queijo. Eles são mais velhos que você."

Ele me deixou uma nota de vinte dólares. Para pagar o táxi, acho.

Está nevando de novo. Tomo mais dois comprimidos e vejo tudo branco.

[060.00]

Eles dizem "Coma isso, Lia. Coma isso, por favor, coma, por favor, só isso, por favor, esse pedacinho".

"Por favor."

Os corvos me perseguem, as asas dobradas com capricho atrás deles, olhos amarelos famintos procurando meus pontos mais macios. Eles andam ao meu redor uma vez, duas, três, as garras arranhando o chão de pedra da igreja.

Eu me enrosco sobre o altar congelado. Eles se agitam por perto, penas pretas enchendo minha boca, meus olhos e meus ouvidos.

***

meu corpo
meu quarto de motel
sozinha

Eles se alimentam. Eles arrancam mordidas com seus bicos — uma da minha panturrilha, uma da parte de dentro do meu cotovelo — puxam com força a carne do osso e voam levando seu tesouro.

[061.00]

Levo horas para me arrastar para fora do sonho e de volta à cama no quarto 115. Não, dias. Horas, dias ou semanas. Eu não sei dizer. Não sei quantos comprimidos tomei.

Tudo dói. Vermes estão roendo meus cortes, e abrindo caminho pelas minhas articulações, e dentro dos meus ossos feios. Meu coração corre rápido como um coelho, e então se deita na lama para hibernar. Se eu tivesse uma faca, cortaria fundo o bastante para acabar com essa brincadeira. Eu não tenho nem um garfo de plástico.

Pego minhas agulhas de tricô.

Eu poderia.

Se quisesse morrer mesmo, agora mesmo, neste minuto, neste lugar vazio, poderia enfiar a agulha com tudo em uma veia; elas estão fáceis de ver. Eu poderia andar para o meio da nevasca e me deitar na neve e sangrar para sempre. Hipotermia e perda de sangue são como adormecer, como picar meu dedo em um espinho ou no fuso da roda de fiar.

Eu poderia.

Uma aranha se pendura do lustre. Ela balança na minha direção, relando no meu rosto e aterrissando na cabeceira da minha cama. Ela dança para colocar o fio no lugar e balança de volta. Denovodenovodenovo. Brincando com o fio em suas mãozinhas minúsculas, as pernas cortando a luz como facas pretas. A teia dela cresce, fio por fio. Cada um abre caminho para o próximo passo. Fios para cima e para baixo primeiro, e então eles são conectados por fios de um lado para o outro. Mais seda, mais tensão, mais lugares para andar, tecendo um mundo que vem de dentro dela.

Se eu tivesse as pernas da dona aranha, teceria um céu em que as estrelas se alinhassem. Colchões seriam amarrados com força aos seus caminhões, corpos jamais atravessariam para-brisas. A Lua apareceria sobre o mar escuro como vinho e entregaria bebês apenas a donzelas e músicos que tivessem rezado bastante e com fé. Garotas perdidas não precisariam de bússolas, nem de mapas. Elas encontrariam caminhos de biscoitos de gengibre para guiá-las para fora da floresta e de volta para casa.

Elas jamais dormiriam em caixas prateadas com lençóis de veludo branco, não até se tornarem vovós enrugadas como papel e estivessem prontas para a viagem.

A aranha suspira e canta baixinho para si mesma.

Meu nome é Lia. Minha mãe é a Chloe, meu pai é o David. E minha irmã, a Emma. E tem a Jennifer.

Minha mãe consegue colocar as mãos dentro do peito aberto de estranhos e consertar seus corações quebrados, mas não sabe de que tipo de música eu gosto. Meu pai acha que tenho 11 anos. A mulher dele cumpre suas promessas. Ela me trouxe uma irmã que está me esperando para voltar para casa e brincar. Meu nome é Lia.

Meus ossos se arrastam para fora da cama, e pelo chão até a janela. Eu puxo a cordinha que abre as cortinas. O Sol está parado perto do chão. Não sei onde fica o leste. Eu não sei se é o nascer ou o pôr do sol.

Eu me sento. O espelho reflete a luz fraca na janela atrás de mim, e a neve. Não consigo me ver no vidro. Não estou ali. Ou aqui. Fecho os olhos, e os abro. Não faz diferença nenhuma.

Viro a cabeça ao ouvir um barulho — ar borbulhando pela água. Meus pulmões. Ainda estou respirando. É um bom sinal.

Há uma chance de que eu sobreviva, depois de dormir um pouco.

[062.00]

Acordo na escuridão.

O tempo está preso no melado, melado bem grosso servido em uma tigela. O espelho mostra a escuridão lá fora. Noite. O Sol estava se pondo, e não nascendo.

Estou no Gateway. 115. O garoto-monstro foi embora. Eu pego o telefone: sem sinal. O motel está dormindo, fechado para o inverno.

Meus braços lutam contra os cobertores e meus pés encontram a porta. Eles não estão esperando que eu tome uma decisão. Eles estão indo. Nós estamos indo. O frio se enrosca nas minhas canelas, faminto para me puxar para o chão. Demoro um mês para encontrar minha jaqueta. Um ano para amarrar os cadarços das minhas botas.

Pegar o tricô. Pegar a bolsa. Pegar a chave.

Meu coração estremece, suco congelado de *cranberry* que sai da lata com tudo.

Vou lá para fora.

Parou de nevar. A Lua crescente está alta, as estrelas esfregam as mãos, os dentes batendo. O vento de uma geleira corta os espaços entre as minhas costelas e através das rachaduras pequeninas nos meus ossos. Eu não tenho muito tempo.

Eu me arrasto até o escritório. A porta 113 está aberta. As luzes estão acesas.

não.

Não pode ser. Tudo está fechado. Tudo está congelado.

não.
sim.

Dou uma olhada lá dentro. Cassie está sentada com as pernas cruzadas sobre a cama, jogando paciência com as cartas espalhadas pelo cobertor. Quando cruzo o batente da porta, ela joga as cartas no ar.

— Finalmente! — ela grita. — Por que você está sempre atrasada? Você se perdeu de novo, né?

O quarto dela está quente. Passa um desenho ridículo na TV.

Há um prato de biscoitos de gengibre meio comidos sobre a mesa junto a uma garrafa de vodca. A pipoca está estourando no micro-ondas.

Ela me puxa para me sentar ao seu lado.

— Tá, escute. Os próximos minutos vão ser um saco. Não tem como consertar isso, desculpe. Eu deixaria tudo mais fácil, se pudesse.

— Do que você está falando?

Ela dá risada.

— Pare de brincar. É um momento sério. Você está atravessando a fronteira.

— Tenho que ligar para os meus pais.

— Você não pode.

— O quê? O que está acontecendo?

Ela dá um tapinha no meu ombro com dedos de pedra.

— Lia, querida? Você está morrendo. Está meio tonta, né? E se sentindo muito estranha? Seu coração está prestes a parar de bater.

Eu a empurro para longe.

— Eu não quero brincar.

— Você não tem escolha. Esse é o seu destino. Chegou a hora — ela me toca de novo. Trilhas finas de névoa fluem dos dedos dela e se enroscam nos meus braços. — Relaxe. Não dói tanto assim.

— Eu quero ir para casa.

— Olhe para os dois lados antes de atravessar.

— Eu preciso ensinar a Emma a fazer tricô. Eu prometi.

— Eles compram um DVD para ela.

— Mas eu não quero.

Ela fala devagar.

— Seus rins já pararam de funcionar a algumas horas. Passar fome mais a desidratação mais exaustão e ainda com uma quase-overdose por cima? Bom trabalho, Lia-Lia. Bom trabalho mesmo. Seus pulmões estão se enchendo. Só mais alguns minutos. Relaxe.

Ela se inclina para frente e expira uma coroa de névoa que cai sobre mim como fumaça de uma fogueira. Meu coração falha uma vez. Eu tento respirar. Meus pulmões não se expandem.

Por um momento, um momento de caixão de vidro, eu quero desistir. Congelar. Sangrar. Me render seria mais fácil que engolir. Eu poderia dormir para sempre.

Meu coração idiota pula de novo na lama; ainda não está pronto para hibernar. Mais uma vez, e então uma terceira batida, mais rápida. Ele acende uma pequena fogueira no meu sangue.

Balanço os braços para quebrar a névoa.

— Abra a boca?

— Âhn?

— Se eu estou morrendo, você tem que ser boazinha comigo. Vai, Cassie, um favorzinho de nada.

Ela dá de ombros e suspira, e então abre a boca. Na língua dela está o disco verde de vidro do mar nascido dentro de um vulcão e enterrado com ela no chão. Pego o vidro.

— Não! — ela berra.

Tento me levantar, mas minhas pernas não escutam.

— É meu! — Ela bate no meu braço.

O vidro voa pelo ar e cai no carpete. Nós nos embolamos uma por cima da outra, corpo e sombra, osso e luz difusa. Ela cai mais perto, mas não vê o vidro. Eu tento alcançar debaixo da mesa lateral, fingindo que está lá. Ela agarra minha jaqueta e me joga para o lado.

— Há! — ela resmunga, tateando debaixo da mesa.

Eu tateio o carpete com as pontas dos dedos até encontrar o vidro. A cabeça dela já está quase toda debaixo da mesa. Levo o vidro até o olho.

Está imundo.

Eu lambo o vidro, que chia como um pirulito verde na minha língua. O barulho faz Cassie congelar. Ela se vira enquanto eu levo o vidro ao olho de novo e olho através do cristal cor de folha, pela janela e para as estrelas que se alinham acima de nós.

O grito dela está embrulhado em veludo branco, elegante e abafado.

A luz além dos meus olhos piscapiscapisca com uma centena de futuros para mim. Médica. Capitã de navio. Aventureira na floresta. Bibliotecária. Amada daquele homem ou daquela mulher ou daquelas crianças ou daquelas pessoas que votaram em mim ou que pintaram meu retrato. Poeta. Acrobata. Engenheira. Amiga. Guardiã. Redemoinho vingador. Um milhão de futuros, nem todos bonitos, nem todos longos, mas todos meus.

— Você mentiu! — eu digo. — Eu tenho escolha, sim.

Cassie volta para a cama, fazendo bico, os braços cruzados sobre o peito.

— É isso mesmo. Agora me deixe em paz. Vá ter uma vida de verdade. Foi culpa minha porque pisei na bola.

Eu estendo o vidro para ela.

— Olhe através disso aqui. Talvez você possa voltar.

— Não funciona assim. Algumas leis da física são reais, sabe. Não posso mudá-las. Estou presa aqui para sempre.

— Presa no meio? Entre os dois mundos?

— É, é a definição clássica de fantasma, né?

— Você quer ficar morta de verdade? — pergunto.

— Sim. — Ela balança a cabeça, ignorando as lágrimas em

seus olhos. — Não. Talvez. Eu vejo uns flashes disso às vezes, como um campo que você vê de um avião. Alguma coisa me faz lembrar de quando eu era criança, quando o mundo era nosso reino, mas não sei por quê.

Meu coração está balançando uma bandeira vermelha. Tenho que correr.

— Rápido — eu digo. — Diga para mim do que você tem mais saudade.

— O quê?

— Do que você sente saudade de quando estava viva?

Os olhos dela ficam mareados de nuvens de verão.

— Da voz da minha mãe cantando, um pouco fora do tom. Do jeito como meu pai ia a todas as minhas competições de natação e eu podia ouvi-lo assobiar quando minha cabeça estava debaixo d'água, mesmo que ele gritasse comigo depois por não ter tentado com mais vontade.

Enquanto ela fala, ando lentamente na direção da porta. Ela não percebe.

— Sinto saudade de ir à biblioteca. Tenho saudade do cheiro das roupas quando saem da secadora. Sinto saudade de pular da prancha mais alta e cair direitinho na água. Tenho saudade de comer *waffles*. Ah! — A cabeça dela cai para trás, como se ela estivesse num balanço. As extremidades dela estão desaparecendo. — Ai, que demais, Lia. Nunca pensei em tentar fazer isso, em levar as melhores coisas comigo.

Abro a porta.

— Você está se sentindo melhor?

Ela está transparente.

— Como nunca.

— Que bom. — Meu coração dá uma guinada.

— Vá para o escritório — ela diz, seu corpo desaparecendo como névoa sob o Sol. — O telefone público na parede ainda está funcionando. Tem moedas de vinte e cinco centavos na primeira gaveta. Rápido!

— Desculpe — eu digo. — Desculpe por não atender o celular.

Os olhos dela brilham como estrelas.

— Desculpe por não ter ligado antes.

[063.00]

Levo quase o resto da vida para chegar ao escritório, mas como a Lua está prestando atenção às minhas visões e as estrelas estão alinhadas, as moedas estão na gaveta e o telefone público funciona.

Ligo para a minha mãe e explico onde estou para que ela possa me encontrar. Digo a ela que estou finalmente viva, mas que ela deveria vir rápido.

Os paramédicos mandam um raio para o meu coração com suas varinhas mágicas enquanto corremos para o hospital. Uma vez, duas, três.

[064.00]

Dizem que passei dez dias no hospital.

Dormi. Sem sonhar.

[065.00]

Minha terceira visita à New Seasons é a mais longa que já tive, uma maratona, e não uma corrida rápida para a saída. Eu ando a maior parte do tempo. Paro e me sento quando estou cansada. Faço um monte de perguntas. Às vezes passo um dia ou três com nuvens de tempestade na minha cabeça. Eu me sento mais um pouco, quieta, até elas passarem.

Sem brincadeiras desta vez. Sem festas de exercício no chuveiro à meia-noite para mim. Sem jogar comida nas plantas ou escondê-la na calcinha, nem subornar a enfermeira para mentir sobre quanto eu comi. Evito o drama das garotas que ainda estão com neve até o pescoço, fugindo da dor o mais rápido que podem. Espero que elas entendam o que está acontecendo.

O conceito de comer é assustador. As vozes malvadas estão sempre por perto, loucas para me puxarem para baixo de novo,

::Estúpida/feia/estúpida/vaca/estúpida/gorda/
estúpida/criançona/estúpida/perdedora/estúpida/perdida::

mas eu não deixo. Coloco todas as garfadas na boca e tento não contar. É difícil. Pego metade de um pãozinho de canela e os números pulam para cima de mim, "bú!". Metade de um pãozinho (165). Pãozinho inteiro (330). Duas colheres de sopa de *cream cheese* normal (80).

Eu inspiro devagar. "Comida é vida." Eu expiro, inspiro de novo. "Comida é vida." E esse é o problema. Quando você está viva, as pessoas podem te machucar. É mais fácil engatinhar até uma jaula de ossos, ou uma montanha de neve e confusão. É mais fácil trancar todo mundo para fora.

Mas é mentira.

"Comida é vida." Pego a outra metade do pãozinho e passo *cream cheese* nas duas. Não tenho a menor ideia de quanto estou pesando. Isso me assusta mais do que tudo, mas estou trabalhando nisso. Estou começando a medir em termos de força, e não em quilos. Às vezes em sorrisos.

Eu leio bastante. Emerson, Thoreau, Watts. Sonya Sanchez; ele tinha razão, ela é incrível. A Bíblia, algumas páginas. O Bhagavad Gita, Dr. Seuss, Santayana. Escrevo poemas desconfortáveis e aleatórios. Nosso andar faz uma excursão até um restaurante. Eu como um *waffle* com calda e peço mais.

Estão me ensinando a jogar *bridge*. Não estou interessada em pôquer. Chega de apostas.

Minha mãe e meu pai e a Jennifer vêm me visitar. A gente conversa e conversa até as represas arrebentarem e as lágrimas fluírem com um pouco de sangue, porque estamos todos com raiva. Mas ninguém sai andando batendo portas das nossas sessões. Ninguém usa nomes feios. Nós nos revezamos ao cavar entre anos e anos de sujeira. Às vezes acho que minha pele vai pegar fogo. Estou brava com eles. Estou brava com a gente. Estou brava porque deixei meu cérebro passar fome e porque fiquei tremendo na cama em vez de dançar ou ler poesia ou tomar sorvete ou beijar um garoto ou talvez uma garota com lábios suaves e mãos fortes.

Estou aprendendo como ficar com raiva, triste e solitária e alegre e animada e com medo e feliz. Estou aprendendo a provar tudo.

Dessa vez não minto para as enfermeiras. Não discuto com elas, nem jogo nada, nem grito. Discuto com os médicos porque não acredito na marca da mágica deles, não cem por cento, e é algo sobre o qual preciso falar. Eles escutam. Fazem anotações. Sugerem que eu anote o que acho de tudo isso. Pelo menos eles não acham que sou louca porque vejo fantasmas.

Meu cérebro se agita e boceja quando eles levam os docinhos malucos embora. Ele cresce quando o alimento.

Outra página é virada no calendário, agora já é abril, e não março. A Dra. Parker vem me visitar. Ela e a equipe dos internados estão criando um plano de transição para mim para que possa passar da Lia do hospital para a Lia de verdade.

— Quem se importa se a gente chama isso de depressão ou assombração? — ela pergunta. — Você não se cortou desde que chegou aqui. Você está conversando. Você está comendo. Você está desabrochando. Isso é que importa.

***

Os pais da Cassie aparecem no dia em que as flores de açafrão se abrem. Nós choramos.

Tenho tanta saudade da Cassie que só consigo pensar nela em estalos tristes e curtos. Ela aparece de vez em quando, mas raramente diz alguma coisa. Na maioria das vezes, só me assiste fazer tricô. Estou fazendo uma blusa para a minha mãe.

Escrevo uma carta para a Emma todos os dias. Quando eles finalmente a deixam vir, ela me traz um cartão "fique bem logo" assinado por sua classe inteira. Ela já tirou o gesso do braço, mas não quer jogar *softball*. Lacrosse é o esporte legal desse ano.

O abraço dela me faz forte o bastante para carregar o mundo todo nos ombros. Ela quer que eu volte logo para casa. Estou quase pronta.

Estou entrelaçando os fios de seda da minha história, tecendo o tecido do meu mundo. A pequena duende dançarina virou uma boneca de madeira cujas cordinhas eram controladas por pessoas que não estavam prestando atenção. Eu girei até ficar sem controle. Comer era difícil. Respirar era difícil. Viver era o mais difícil.

Eu queria engolir as sementes amargas do esquecimento. Cassie também. Nós nos apoiamos uma na outra, perdidas no escuro e vagando em círculos sem fim. Ela ficou cansada demais e dormiu. De alguma maneira, eu me arrastei para longe do escuro e pedi ajuda.

Eu entrelaço e teço e tricoto minhas palavras e visões até uma vida nova começar a tomar forma.

Não existe cura mágica, nem como fazer tudo desaparecer para sempre. Existem apenas pequenos passos adiante; um dia mais fácil, uma risada inesperada, um espelho que não importa mais.

Estou descongelando.

Agradecimentos

Embarquei nessa viagem para a terra das garotas geladas por causa de inúmeras leitoras que escreveram para mim e conversaram comigo sobre suas lutas com transtornos alimentares, sobre como se cortavam, e se sentiam perdidas. Sua coragem e honestidade me colocaram no caminho para encontrar a Lia e me ajudaram a entender sua fragilidade. Embora a história de Lia não seja baseada em qualquer pessoa real, foi inspirada por essas leitoras e eu agradeço a elas.

A Dra. Susan J. Kressly, de Doylestown, PA, é uma pediatra extraordinária, uma madrasta maravilhosa para as minhas filhas, e uma grande amiga. Sue me cutucou por anos para atacar o tópico dos transtornos alimentares e me forneceu uma avaliação valiosa sobre os primeiros rascunhos do manuscrito. Agradeço as cutucadas e a ajuda. Este livro não teria sido escrito sem ela.

A psicoterapeuta Gail Simon é especializada em tratar pacientes com transtornos alimentares em Buckingham, PA, há 23 anos, além de trabalhar em um centro de tratamento residencial para transtornos alimentares há quase duas décadas. Gail graciosamente leu o manuscrito para garantir que a deterioração física e psicológica de Lia fosse descrita com precisão. Sou muito grata pela assistência dela.

É preciso contar com uma cidadezinha para erguer um livro também. A minha cidadezinha fica em um prédio alto na parte baixa de Manhattan que contém os escritórios da Penguin Books. Sou uma autora muito sortuda por trabalhar com a brilhante editora Joy Peskin. Suas perguntas gentis e olhos atentos ajudaram a trazer a história da Lia para um foco mais aguçado para mim e seu suporte moral me ajudou a me guiar e sair das tempestades de insegurança. Muito obrigada também a Regina Hayes, presidente e publisher da divisão Viking da Penguin, que é uma heroína para mim em mais maneiras que sou capaz de contar. A editora de preparação Susan Casel me salvou da humilhação pública do ponto e vírgula. Agradeço a ela por não ter um ataque com os sofismas estilísticos do texto.

A equipe de design na Penguin composta por Linda McCarthy, Natalie Sousa, Dani Delaney e Nancy Brennan leva todo o crédito e minha gratidão por criar esse lindo livro. A imagem da capa é uma fotografia tirada pelo jovem e extremamente talentoso Alexandre Denomay, de Montreal, no Canadá. Agradeço a ele por compartilhar seus dons com a minha história.

Greg Anderson, meu primeiro marido (agora casado com a Dra. Sue) e ainda meu amigo, geralmente me ajuda lendo o manuscrito para procurar erros de gramática. Ele não teve a chance de fazer isso com *Garotas Geladas* e eu prometi a ele que mencionaria isso. Se você encontrar um erro gramatical, por favor, saiba que não é culpa do Greg.

Minhas primeiras leitoras, Genevieve Gagne-Hawes, minhas filhas Stephanie e Meredith Anderson, Allison Sands, e Maria Grammer me ofereceram sugestões valiosas e também seu apoio. Meredith e Allison, principalmente, reagiram à história de uma maneira que é o sonho de todo autor. Muito obrigada também aos meus filhos Jessica e Christian Larrabee por me apoiarem e por manterem a música em volume baixo enquanto eu tentava desembaraçar fios da trama.

Escrever livros como este muitas vezes leva um autor a um local liminar entre a realidade e a imaginação. É por isso que precisamos de pessoas práticas com os pés firmemente presos ao chão no mundo real. Obrigada Amy Berkower e a todos na

Writer's House por ficarem atentos aos detalhes e por permitirem vagar nas florestas da minha mente. Sou realmente uma autora de sorte, já que Amy é uma amiga querida e também minha agente.

Este livro não teria sido escrito sem a força e o amor do meu marido, Scot. Não tenho palavras para explicar como sua presença é importante para a minha escrita. Espero que ele consiga enxergar a profundidade da minha gratidão ao me olhar nos olhos.

E, finalmente, um reconhecimento há muito atrasado. Eu recebi uma bolsa de estudos na Manlius Pebble Hill School em Dewitt, NY, quando estava no oitavo ano. Não sei ao certo por que a deram para mim. Eu era uma aluna sem graça que passava a maior parte do tempo sonhando acordada nas fileiras do fundo. Alguém, em algum lugar, deve ter enxergado potencial em mim, mas pode ter sido um erro da secretaria. Qualquer que tenha sido o motivo, ganhei uma ajuda significativa e passei o ano mais importante da minha educação naquela ótima escola.

Meu professor de inglês na MPH era um cavalheiro mais idoso chamado David Edwards. Ele estava prestes a se aposentar após uma longa carreira passada em sua maior parte ensinando garotos em uma academia militar. Não se pode imaginar uma combinação menos provável de aluna e professor. O Sr. Edwards me ensinou mitologia grega, à moda antiga. Ele encheu minha cabeça com histórias de deuses, mortais, mágica e transformação que estabeleceu as bases para a minha vida de escritora. Sinto muito que ele tenha morrido antes que eu pudesse lhe dar um dos meus livros.

Suspeito que deixava o Sr. Edwards frustrado, porque ele achava que eu não estava prestando atenção à aula. Mas eu estava. E estou em dívida eterna com ele para sempre por te me ensinado tanto.